사양

다자이 오사무

<일러두기>

*지명과 고유명사는 일본어 표기법에 따랐으며, つ의 표기법인 '쓰'는 중복을 허용하는 '츠'로 표기하였습니다.

*본문에 사용된 이미지는 이해를 돕기 위한 것이며 묘사와 완벽하게 일치하지 않는 경우가 있습니다.

*사용된 이미지에 대한 출처는 생략하였으며, 저작권자 및 기관이 지정한 경우에만 이미지와 함께 출처 표기를 덧붙였습니다.

다자이 오사무 본가 '사양관' 전경

어머니의 방. '사양'이라는 제목의 착안점이 이곳의 글귀라는 설이 있다. 두 번째 문에서 사양이라는 글자를 찾을 수 있다.

1

아침에 식탁에서 수프를 한 수저 떠먹다가 어머니가,

“아아.” 하고 외쳤다.

“머리카락?”

스프에 안 좋은 것이라도 들어갔나 싶었다.

“아니.”

어머니는 아무 일도 없었다는 듯이 다시 수프 한 숟가락을 입안으로 넣으며 평소와 다름없는 얼굴을 옆으로 돌리고 부엌 창문 너머로 보이는 만개한 산벚꽃에 시선을 주었고, 시선을 옆으로 향한 채 다시 수프 한 수저가 자그마한 입술 사이로 사르르 사라졌다. 사르르 사라졌다는 표현은 어머니의 경우 결코 과장은 아니다. 부인 잡지 따위에 나와 있는 식사법과

확연히 다르시다. 동생 나오지直治가 어느 날 술을 마시면서 누나인 내게 이렇게 말한 적이 있다.

"작위가 있으니까 귀족이라고 할 수 없지. 작위가 없어도 덕망을 지닌 훌륭한 귀족도 있는 것이고, 우리처럼 작위는 있어도 귀족은커녕 천민에 가까운 이들도 있어. 이와시마岩島(나오지의 학우인 백작의 이름을 거론하며) 같은 녀석은 그야말로 신주쿠 유곽 호객꾼보다도 상스러운 느낌이 들지 않는가. 저번에 야나이柳井(마찬가지로 동생의 학우이며 자작의 차남인 분의 이름을 예시하며)의 형님 결혼식에서 "시발, 턱시도 따윌 입고 뭘 하자는 건지. 이딴 걸 입고 올 필요가 어디 있냐."라고 했지. 그건 그렇다고 쳐도 테이블 스피치를 할 때에 '저 새끼'나 '그러십니까유'[1]라는 기괴한 말을 쓰는 것은 당황스럽기 짝이 없었어. 젠체하는 것은 품격과 전혀 관계없는 천한 허세다. 고등 하숙집이라고 적힌 간판이 혼고本鄉 부근에 많이 모여 있지만 실제로 화족 같은 부류의 대다수는 고등 비렁뱅이와 다름없다. 진정한 귀족은 이와시마처럼 품격 없이 허세를 부리지는 않지. 우리 일족에서도 진정한 귀족은 엄마 정도일걸? 저건 진짜라고. 상대가 안 되는 부분이 있어."

수프를 먹는 방식에서도 우리라면 보통은 접시 위에서 고개를 살짝 숙이고 스푼을 옆으로 들고 떠서 그대로 입가에 가져

가지만, 어머니는 왼쪽 손가락을 살포시 테이블 가장자리에 걸치고 상체를 굽히지 않으며 얼굴을 반듯하게 들어 올리고, 접시에 시선을 두지도 않고 스푼을 옆으로 기울여 깔끔하게 퍼서는, 제비 같다고 형용하고 싶어질 만큼 가볍고 산뜻하게 스푼을 입과 직각이 되도록 움직였고, 스푼 선단을 통하여 입술 사이로 액체를 넘기는 것이다. 그리고 무심한 듯 이쪽저쪽 곁눈질하면서 마치 팔랑거리는 작은 날개처럼 스푼을 다루며 한 방울의 수프도 떨어뜨리는 일이 없었고, 목으로 넘기는 소리나 접시 소리조차 전혀 나지 않았다. 그것은 이른바 정식 예법으로 먹는 방식은 아닐지도 모르겠지만 내 눈에는 정말 가련했고 그것이야말로 진정한 것으로 보였다. 사실상 먹거리는 입으로 넘어가는 것처럼 먹는 편이 신기하게 맛있었다. 하지만 나는 나오지가 말하는 고등 비렁뱅이였기에 어머니처럼 자유자재로 가볍고 손쉽게 스푼을 다룰 수 없었고, 울며 겨자 먹기로 그 방식을 포기하고 접시 위로 몸을 숙이며 이른바 정식 예법대로 음울하게 먹는 방식을 취하고 있었다.

수프뿐만이 아니라 어머니의 식사법은 예법에서 상당히 벗어나 있었다. 고기가 나오면 나이프와 포크로 모조리 작게 잘라내고서 그 후에 나이프를 사용하지 않고 포크를 오른손으로 바꿔 잡고서 고기 하나하나를 즐기는 것처럼 천천히 드신다.

그리고 뼈가 있는 치킨 같은 건 우리가 그릇 소리를 내지 않으며 뼈에서 고기를 발라내는 데 고심하고 있을 때, 어머니는 자연스럽게 손가락으로 뼈를 들고서 입을 대셨다. 그런 야만적인 동작도 어머니께서 하시면 귀여울 뿐 아니라 묘하게 에로틱하게 보일 지경이라서 확실히 진정한 귀족은 다르다는 것이다. 치킨뿐만이 아니라 어머니는 점심 부식인 햄과 소시지 등도 가볍게 손가락으로 집어서 드시는 일마저 가끔 있다.

"주먹밥이 왜 맛있는지 아니? 그건 말이지, 인간의 손으로 쥐어서 만드니까 그렇단다."라고 말씀하신 적마저 있다.

나도 손으로 먹으면 정말 맛있을지도 모르겠다고 생각한 적이 있지만, 나 같은 고등 비렁뱅이가 적당히 흉내 내면 그거야말로 진정한 거렁뱅이가 되는 상황이 펼쳐질 것 같았기에 참고 있다.

동생 나오지도 엄마에겐 못 당한다고 하지만 아무리 생각해도 나 역시 어머니를 따라 하는 건 힘들었고 절망 비슷한 것을 느낀 적까지 있다. 니시카타초西片町 집 안뜰에서 초가을 달이 완연한 어느 날 밤의 일이었는데, 나는 어머니와 둘이서 연못 가장자리에 있는 정자에서 달구경을 하며 시집갈 준비에 대해 웃으면서 이야기를 나누는 동안, 어머니가 갑자기 일어나서 정자 옆 싸리 덤불 안쪽으로 들어가시더니 하얀 싸리꽃

사이에서 그보다 더 선명한 새하얀 얼굴을 내미시고 살며시 미소 지으시며,

"가즈코, 엄마가 지금 뭘 하고 있는지 맞춰 보렴."

하고 말씀하셨다.

"꽃을 꺾고 계셔요."

라고 대답했더니 작은 소리로 웃으시더니,

"소변이란다."

라고 말씀하셨다.

조금도 쭈그리고 앉지 않은 것에 놀랐으나 나 따위는 절대로 흉내 낼 수 없는, 진정으로 귀여운 느낌이 났다.

오늘 아침 수프부터 시작하여 심하게 탈선하고 말았지만, 저번에 어느 책에서 루이 왕조 시대의 귀부인들은 궁전 뜰이나 복도 구석에서 지극히 자연스레 소변을 보았다고 하는 사실을 알았고 그런 무심함이 진정으로 귀여웠으며, 우리 어머니도 마지막까지 남아 있는 그런 귀부인 중 하나일 것이리라고 생각했다.

그러고 보니 오늘 아침은 수프를 한 수저 드시고 나서 '아아' 하는 작은 소리를 내시기에, '머리카락?' 하고 여쭤보니 아니라고 대답하셨다.

"맵고 짰던 걸까."

오늘 아침 먹은 수프는 미국에서 배급된 그린피스 통조림을 으깨어 내가 포타주처럼 만든 것이었고, 본래부터 요리는 자신이 없었기에 어머니께 아니라는 말을 들어도 전전긍긍하며 그렇게 여쭤본 것이다.

"정말 잘 만들었구나."

어머니는 진지하게 그렇게 말씀하시고 스푼을 놓고 김으로 감싼 주먹밥을 손으로 집어 드셨다.

나는 어렸을 적부터 아침밥이 맛이 없었고 열 시경이 되지 않으면 배가 고프지 않았기에 그때도 수프는 어떻게든 먹긴 했지만 목으로 넘기는 것이 힘에 부쳤고, 접시에 올려 가져다 둔 주먹밥에 젓가락질하여 뭉개고 부순 후 그중 한 조각을 젓가락으로 집어서, 어머니가 수프를 드실 때의 스푼처럼 젓가락을 입과 직각으로 하여 마치 작은 새에게 모이를 주는 것 같은 모습으로 입에 밀어 넣고 오물거렸다. 그러는 사이에 어머니는 이미 식사를 끝마치고 살며시 일어나서 아침 햇살이 비치고 있는 벽에 등을 기대시며 내가 먹는 걸 묵묵히 지켜보시더니,

"가즈코는 더 노력해야겠구나. 아침에 밥맛이 돌아야지."

라고 말씀하셨다.

"어머니는요? 맛있으세요?"

"그야 그렇지. 난 병자가 아닌걸."

"가즈코도 병자는 아니에요."

"큰일이야 큰일."

어머니는 마음에 걸린다는 듯이 웃으며 고개를 저었다.

나는 다섯 해 전에 폐병 때문에 드러누운 적은 있지만 그건 꾀병이었다. 하지만 최근 생긴 어머니의 병은 정말로 걱정스럽고 슬픈 병이었다. 그런데도 어머니는 나만 걱정하고 계신다.

"아아."

하고 내가 말했다.

"왜 그러니?"

라고 이번에는 어머니가 묻는다.

얼굴을 마주 보며 서로에 대해 모조리 이해했다는 느낌으로 내가 웃음을 터트리자 어머니도 빙그레 웃으셨다.

어쩐지 견딜 수 없이 창피한 마음에 휩싸였을 때 기묘하고 희미한 외침이 튀어나오는 것이다. 지금 내 가슴에 느닷없이 여섯 해 전 내가 이혼할 때의 일이 선연하게 떠올라 견딜 수 없어지며 저도 모르게 소리를 냈으나 어머니의 경우는 어떨까. 설마 어머니께 나와 같은 창피스러운 과거가 있을 리 없다. 아니지, 그래도 어쩌면.

“어머니도 방금 뭔가 생각나신 거죠? 어떤 일?”

“잊어버렸어.”

“저에 관한 일?”

“아니.”

“나오지에 관한 일?”

“그래.”

라고 대답하면서 고개를 갸웃거리며,

“그럴지도 몰라.”

라고 말씀하셨다.

동생 나오지는 대학 재학 중에 소집되어 남쪽 섬으로 갔으나 소식이 끊어졌고 전쟁이 끝나고도 행방불명 상태였기에 어머니는 더는 나오지를 볼 수 없을지도 모르겠다고 말씀하셨지만, 나는 그런 ‘각오’ 같은 걸 떠올린 적은 한 번도 없다. 반드시 다시 만날 날이 있을 것으로 생각했다.

“포기할 생각이었지만 맛있는 수프를 먹고 나오지를 생각했더니 마음이 아파졌어. 나오지에게 좀 더 잘해줬으면 얼마나 좋았을까.”

나오지는 고등학교에 들어갔던 때부터 문학에 심취하며 불량소년과 다를 바 없는 생활을 시작했고, 얼마나 어머니께 심려를 끼쳤는지 알 수 없다. 그런데도 어머니는 수프를 한 수

저 드시고는 나오지를 생각하며 탄식하시는 것이다. 나는 밥을 먹으며 눈시울이 붉어졌다.

"괜찮아. 나오지는 괜찮아. 나오지 같은 악한은 쉽게 죽지 않는 법이거든. 죽는 사람은 반드시 얌전하고 마음씨 곱고 상냥한 사람이야. 나오지 같은 건 막대기로 때려도 죽지 않아."

어머니는 웃으며,

"그러면 가즈코는 요절하는 쪽일까?"

라고 나를 놀린다.

"어머 어째서요? 저 같은 건 악한의 앞잡이나 다름없으니까 여든 살까지는 거뜬해요."

"그러니? 그러면 엄마는 아흔까지는 괜찮겠구나."

"그럼요."

라고 말하며 조금 당황했다. 악한은 오래 산다. 마음씨가 고운 사람은 일찍 죽는다. 어머니는 마음씨가 곱지만 오래 사셨으면 했다. 나는 몹시 당황했다.

"정말이지 짓궂으세요!"

라고 말했더니 아랫입술이 바들바들 떨려오며 눈물이 눈에서 넘치며 떨어진다.

뱀 이야기를 해볼까. 사오일 전 오후에 이웃 아이들이 뜰 울타리 대나무 덤불에서 뱀의 알을 열 개나 찾아낸 일 말이다.

아이들은,

"살무사의 알이야."

라고 주장했다. 나는 대나무 덤불에 살무사가 열 마리나 살고 있으면 무심코 뜰에 내려오지 못할 것으로 생각했기에,

"구워 보자."

라고 말했더니 아이들은 뛸 듯이 기뻐하며 내 뒤를 따라온다.

대나무 덤불 근처에 나뭇잎과 섶나무를 쌓아 올리고 그것을 태우며 알을 하나씩 던져 넣었으나 알은 쉽사리 구워지지 않았다. 아이들이 나뭇잎과 나뭇가지로 불꽃 위를 덮으며 화력을 강화했으나 알이 구워질 것 같지 않았다.

농가의 아가씨가 울타리 밖에서,

"뭘 하고 계세요?"

라고 웃으며 물었다.

"살무사의 알을 굽고 있어요. 살무사가 나오면 무서우니까요."

"크기는 얼마만 한데요?"

"메추리알 정도에 새하얘요."

"그러면 그냥 뱀의 알이에요. 살무사는 아닐 거예요. 날 것

등나무 시렁 아래의 미인 행렬 <일본 국립문화재 기구 소장품 통합 검색 시스템, 도쿄국립박물관 소장>

인 알은 쉽게 구워지지 않아요."

아가씨는 재미있다는 듯이 웃고는 지나갔다.

삼십 분쯤 불을 지피고 있었지만 아무래도 알이 구워지지 않았기에 아이들에게 알을 불에서 꺼내게 하고, 매화나무 아래에 파묻게 한 후 나는 작은 돌을 모아 묘비를 만들어주었다.

"자, 다들 합장해야지."

내가 쭈그리고 앉아서 손을 모으자 아이들도 내 뒤에서 얌전히 쭈그리고 앉아서 합장한 것 같았다. 그리고 아이들과 헤어지고 나 혼자 돌계단을 천천히 올라갔더니 돌계단 위 등나무 시렁 그늘에 어머니가 서 계시며,

"가여운 일을 하고 있구나."

라고 말씀하셨다.

"살무사다 싶었는데 평범한 뱀이었어요. 하지만 잘 묻어주었으니 괜찮아요."

라고 말했으나 어머니께 들켜서 큰일이라고 생각했다.

어머니는 미신을 믿는 사람은 아니었지만 십 년 전, 아버지가 니시카타초 자택에서 타계하시고 난 후로 뱀을 굉장히 두려워하셨다. 어머니는 아버지의 임종 직전에 머리맡에서 검고 가느다란 끈이 떨어져 있는 걸 보고 별생각 없이 주우려고 하였는데 그것이 뱀이었다. 미끄러지듯 도망가더니 그 후로 어딜 갔는지 행방이 묘연해졌는데, 그걸 본 것은 어머니와 와다和田의 외삼촌밖에 없었고, 두 분은 서로의 얼굴을 마주 보며 임종 직전인 방에 소란이 일지 않도록 그대로 두고 아무 조치도 취하지 않았다고 한다. 우리도 마침 그곳에 있었지만 뱀에 대한 것은 전혀 눈치채지 못하였다.

하지만 아버지가 돌아가신 날 저녁 무렵, 뜰 연못 변에 있는 나무란 나무에 뱀이 기어 올라갔었다는 사실을 내 눈으로 똑똑히 확인했기에 잘 알고 있었다. 지금 내가 스물아홉 할망구니까 십 년 전 아버지가 별세하실 때는 열아홉이나 먹었던 것이다. 그때도 어린아이는 아니었기에 십 년이 지나서도 당시의 기억은 여전히 선명했고 틀림없겠지만, 내가 공양할 꽃을 꺾으러 뜰 연못으로 걸어가서 연못가 철쭉 근처에 우두커니 서서 문득 시선을 돌렸더니, 철쭉 가지 끝에 작은 뱀이 똬리를 틀고 있었다. 조금 놀라서 옆에 있는 황매화 꽃가지를 꺾으려고 하자 그 가지에도 똬리를 틀고 있었다. 옆에 있는 목서에도, 단풍나무 모종에도, 양골담초에도, 등나무와 벚나무에도, 어디를 둘러보아도 뱀이 똬리를 틀고 있던 것이다. 하지만 그다지 무섭게 생각되지는 않았다. 뱀도 나와 똑같이 아버지의 별세를 슬퍼하며 구멍에서 기어 나와 아버지의 넋을 뵙는 것이라는 마음이 들었을 뿐이었다. 그 후 뜰에 있던 뱀에 대하여 어머니께 조심스럽게 알렸더니 어머니는 살짝 고개를 갸우뚱하며 가만히 생각에 잠기는 모습이었지만 별다른 말씀은 하지 않으셨다.

하지만 두 번에 걸친 뱀 사건이 이후에 어머니를 심한 뱀 혐오자로 만든 것은 사실이다. 뱀 혐오자라기보다는 뱀을 우러르며 두려워한다고 하는, 다시 말해 외경하는 감정을 가지게 된 것 같다.

뱀 알을 태웠던 것을 어머니께 발각당했고, 분명 극도로 불길하게 느끼셨음이 틀림없다고 생각했더니 갑작스레 나도 알을 구웠던 사실이 굉장히 무서운 일인 듯한 기분에 휩싸였고, 혹시라도 이 일이 어머니께 불길한 저주를 내리지 않을까 싶어서 걱정되는 마음이 앞선 나머지 다음 날도, 그 다음다음 날도 이 생각을 떨쳐낼 수가 없었는데, 오늘 아침은 식사하면서 '아름다운 사람은 빨리 죽는다'는 식의 불길한 소리를 가볍게 입에 담으셨고, 그 후에 형언할 수 없는 마음 때문에 울음이 터져버렸으나 아침 식사 후 정리를 하면서 어쩐지 내 마음속에 어머니의 목숨을 단축하게 만드는 불길한 새끼 뱀 한 마리가 들어온 것 같아서 기분 나쁘고 꺼림칙하여 견딜 수 없었다.

그리고 그날 뜰에서 뱀을 보았다. 날씨가 굉장히 온화하고 맑은 날이었기에 부엌 일을 끝마치고 뜰 잔디 위에 등나무 의자를 옮겨 거기서 뜨개질을 하려고 뜰에 내려갔더니 정원석 조릿대 근처에 뱀이 있었다. 정말이지 끔찍했지만, 그저 그렇게 생각했을 뿐이었고 그 이상 깊게 생각하지 않으며 등나무 의자를 들고 툇마루로 돌아왔고, 툇마루에 의자를 놓고 그곳에 앉아 뜨개질에 전념했다. 오후가 되어 뜰 구석에 있는 불당 안에 넣어둔 장서 중에서 로랑생Marie Laurencin[1)]의 화집을 꺼내오려고 뜰에 내려갔더니 잔디 위를 뱀이 느릿느릿 기고 있었다. 아침에 봤

마리 로랑생의 작품
(Marie De Medicis, 1926)

1) 목가적인 풍경 속 우아하고 모호하게 여성들을 묘사한 작품으로 유명한 프랑스 화가이자 판화 제작자.

던 뱀과 똑같았다. 호리호리하고 기품 있는 뱀이었다. 나는 여자 뱀일 것으로 추정했다. 그녀는 잔디밭을 유유히 가로지르며 찔레나무 그늘 밑에 가서 멈추더니 고개를 쳐들고는 불꽃처럼 가느다란 혀를 떨었다. 그런 다음 주변을 둘러보는 모습이었지만 얼마 안 있어 고개를 수그리며 침울하다는 듯이 웅크렸다. 나는 그때도 그저 아름다운 뱀이라는 생각이 강했고, 이윽고 불당에 가서 화집을 꺼내어 돌아갈 때 조금 전 뱀이 있던 곳을 조심스럽게 바라보았지만 흔적을 찾을 수 없었다.

저녁 무렵, 어머니와 함께 중국풍 방에서 차를 마시면서 뜰을 보았더니 돌단 세 번째 돌 부근에 오늘 아침에 봤던 뱀이 서서히 모습을 드러냈다.

어머니도 그것을 발견하고는,

"저 뱀은 혹시?"

하고 말씀하시고 일어나서 달려오시더니 내 손을 잡은 채 우두커니 서 계셨다. 그 말을 듣고서 나도 퍼뜩 짐작 가는 부분이 있어서,

"알의 엄마?"

라고 소리 내어 말했다.

"그래, 그런 거야."

어머니의 목소리는 갈라졌다.

우리는 손을 맞잡고 숨죽이며 묵묵히 그 뱀을 지켜보았다. 돌 위에 침울하게 웅크리고 있던 뱀은 비슬거리는 듯이 다시 움직이기 시작했고, 힘없이 돌계단을 가로지르며 제비붓꽃을 향해 기어갔다.

"오늘 아침부터 뜰을 배회하고 다녔어요."

라고 내가 작은 소리로 말씀드리자 어머니는 한숨을 쉬며 느른하게 의자에 앉으시고는,

"그랬구나. 알을 찾고 있는 거였구나. 가엽게도."

라며 가라앉은 목소리로 말씀하셨다.

나는 실없이 웃었다.

얼굴에 비친 석양 탓인지 어머니의 눈동자가 푸르게 빛나는 것처럼 보였고, 희미하게 분노를 띤 것 같은 얼굴은 뛰어들고 싶을 만치 아름다웠다. 그리고 나는, 아아, 어머니의 얼굴은 조금 전 서글픈 뱀과 어딘지 모르게 닮았다고 생각했다. 그리고 내 마음속에 사는 독사처럼 어슬렁거리는 추한 뱀이, 깊은 슬픔에 잠긴 아름답고도 아름다운 어미 뱀을 언젠가 죽이지는 않을까 싶었고 어째선지 그런 마음을 떨쳐낼 수 없었다.

나는 어머니의 부드럽고 가련한 어깨에 손을 올리고 정체를 알 수 없는 번민에 빠졌다.

우리가 도쿄 니시카타초 집을 버리고 중국풍 느낌이 나는 이즈伊豆의 산장으로 이사한 것은 일본이 무조건 항복을 한 해의 십이월 초였다. 아버지가 돌아가시고 나서 우리 집 경제는 어머니의 동생이면서 현재 어머니께 하나 남은 육친인 외삼촌이 전부 돌봐주었는데, 전쟁이 끝나고 세상이 변하여 외삼촌이 "이제 집을 파는 수밖에 없다. 여자 하인들도 모두 내보내고 모녀 둘이서 어디 시골에 조촐한 집이라도 사서 마음 편하게 사는 편이 낫다."라는 뜻을 전하셨고, 어머니는 돈에 대해서는 아이보다 모르는 분이신데 그런 말을 듣고서 잘 부탁한다고 위임했다는 것 같았다.

십일월 말에 외삼촌이 속달을 보내어, [슨즈駿豆 철도 연선에 가와다河田 자작 별장이 매물로 나와 있다. 집은 고지대에 있고, 전망 좋고 밭도 백 평이나 된다. 그 부근에는 매화 명소가 있고 겨울엔 따뜻하고 여름엔 시원하니 분명 마음에 드는 곳일 것이다. 상대방과 직접 만나서 이야기할 필요도 있을 테니 내일 일단 긴자銀座에 있는 내 사무소에 와달라.]라는 내용이었다.

"어머니, 가시겠어요?"

라고 내가 여쭙자,

"그야 부탁을 했는걸."

하고 지극히 아쉽다는 듯 웃으셨다.

이튿날 옛 운전기사였던 마츠야마松山 씨에게 동행을 부탁하여 어머니는 오후가 조금 지나서 외출하신 후 밤 여덟 시경 마츠야마 씨와 함께 돌아오셨다.

"결정했어."

가즈코의 방에 들어와 책상에 손을 올린 채 쓰러지듯이 앉으시더니 그렇게 말씀하셨다.

"결정했다니 뭘요?"

"전부."

"그치만."

하고 내가 놀라면서,

"어떤 집인지 보지도 않으시고……."

어머니는 책상 위에 한쪽 팔꿈치를 세우고 이마에 가볍게 손을 대며 작게 한숨을 내쉬더니,

"너희 외삼촌이 좋은 곳이라고 말했거든. 난 그냥 이대로 눈을 감고 그 집으로 옮겨가면 될 것 같아."

라고 말씀하시며 얼굴을 들고는 희미하게 웃으셨다. 그 얼굴은 조금 여위었고 아름다웠다.

"그렇겠죠."

라고 나도 외삼촌을 신뢰하는 어머니의 아름다운 마음에 감화되었고 맞장구를 치며,

"그렇다면 가즈코도 눈을 감지요."

둘은 소리 내어 웃었지만 그 후에 조금 서글퍼졌다.

그로부터 매일같이 집에 인부가 와서 이삿짐을 꾸리는 일이 시작되었다. 외삼촌도 찾아오시어 매각할 것은 팔 수 있도록 하나하나 수배해주셨다. 나는 일을 도와주는 오키미와 둘이서 의류를 정리하고 잡동사니를 뜰 앞에서 소각하며 분주한 시간을 보내고 있었는데, 어머니는 정리를 돕거나 어떤 지시도 내리지 않으시며 매일 방에서 뭘 하는지 오도카니 혼자 계셨다.

"왜 그러세요? 이즈에 가기 싫으세요?"

라고 마음을 다잡고 조금 단호하게 여쭤봐도,

"아니."

라고 넋이 빠진 얼굴로 대답하실 뿐이었다.

열흘쯤 지나 정리가 끝났다. 나는 저녁에 오키미와 둘이서 종잇조각과 짚을 뜰 앞에서 소각했는데 어머니도 방에서 나오시더니 툇마루에 서서 가만히 우리의 모닥불을 보고 계셨다. 잿빛 같은 싸늘한 서풍이 불며 연기가 낮게 땅을 기고 있었고, 나는 문득 어머니의 얼굴을 올려다보며 어머니의 안색이 지금까지 본 적이 없을 정도로 안 좋은 것에 놀라서,

"어머니! 안색이 안 좋으세요."

라고 외치자 어머니는 가볍게 웃으셨고,

"아무렇지도 않아."

라고 말씀하시며 살며시 방으로 돌아가셨다.

그날 밤 이불은 이미 싸놓았기에 오키미는 이 층 서양식 방 소파에서, 어머니와 나는 어머니의 방에서 이웃에게 빌려온 이부자리를 깔고 함께 쉬었다.

어머니는 의문이 들 정도로 힘없이 약하디약한 목소리로,

"가즈코가 있으니까, 가즈코가 있으니 이즈에 가는 거란다. 가즈코가 있으니까."

라고 생각지도 못한 말씀을 하셨다.

나는 가슴이 철렁하여,

"가즈코가 없었으면요?"

라고 저도 모르게 여쭸다.

어머니는 갑작스레 울음을 터트리시고는,

"차라리 죽는 게 낫지. 아버지가 돌아가신 집에서 이 엄마도 죽어버리고 싶어."

라고 더듬더듬 말씀하셨고 결국 격렬하게 눈물을 보이셨다.

어머니는 이제껏 내게 한 번도 약한 소리를 하신 적이 없었고, 격렬하게 울고 있는 모습을 보인 적은 더더욱 없었다. 아

버지가 돌아가셨을 때도, 내가 시집을 갈 때도, 아이를 가진 후 어머니께 돌아왔을 때도, 아이가 병원에서 죽은 상태로 태어났을 때도 그리고 내가 병으로 드러누웠을 때도, 나오지가 나쁜 짓을 했을 때도 어머니는 결코 약한 태도를 내보이지 않으셨다. 아버지가 돌아가시고 십 년간 어머니는 아버지가 건재하실 때와 다를 바 없이 서글서글하고 상냥하셨다. 우리도 그에 기대어 자라온 것이다. 그러나 이제 어머니는 돈을 잃었다. 이게 다 우리들 때문에, 나와 나오지를 위하여 아낌없이 쓰셨다. 이젠 긴 세월 동안 익숙해진 집에서 나와 이즈의 작은 산장에서 나와 단둘이서 고달픈 생활을 시작해야만 했다. 만일 어머니가 심술이 가득하고 인색해서 우리를 혼내시고 몰래 본인의 돈을 늘리는 일을 궁리하는 분이셨다면 아무리 세상이 변한대도 죽고 싶다는 기분이 드는 일은 없었을 텐데, 아아 돈이 없어진다는 건 얼마나 두렵고 비참하며, 빠져나갈 길 없는 지옥인 걸까. 태어나서 처음으로 깨달은 것처럼 가슴이 갑갑해지며 너무나도 괴로운 마음에 울고 싶어도 울지 못하고, 인생의 엄숙함이란 이런 때의 느낌을 말하는 것일까 싶어 옴짝달싹 못 한 채 위를 바라보며 돌처럼 가만히 누워있었다.

이튿날 어머니는 여전히 안색이 좋지 않았고 전보다 더 주저하시며 조금이라도 길게 이 집에 머무르고 싶어 하는 모습이었지만, 외삼촌이 와서 이제 짐은 거의 다 보냈고 오늘 이즈로 출발해야 한다고 말씀하셨기에, 어머니는 마지못해 코트를 입고 이별의 인사를 고하는 오키미와 교류가 있던 사람들에게 한마디 말도 없이 가볍게 고개를 숙이고는 외삼촌과 나, 이렇게 셋이서 집을 나섰다.

기차는 예상외로 비어 있었고 셋 다 앉을 수 있었다. 기차 안에서 외삼촌은 기분이 꽤나 좋아 보였고 노래를 읊조리고 있었지만, 어머니는 안색이 나빴고 고개를 숙인 채 너무도 추워 보이셨다. 미시마三島에서 슨즈 철도로 갈아타서 이즈나가오카伊豆長岡에서 하차하고 나서 버스로 십오 분쯤 간 후에 내려서 완만한 언덕길을 올라가면 작은 촌락이 있고, 그 촌락 변두리에 중국풍으로 조금 공들인 산장이 있었다.

"어머니, 생각보다 좋은 곳이네요."

라고 숨을 헐떡이며 내가 말했다.

"그러게."

라고 어머니도 산장 현관 앞에 서서 기뻐 보이는 표정을 지으셨다.

"무엇보다 공기가 좋아. 공기가 참 청정하지."

라고 외삼촌은 자랑하셨다.

"정말 그렇구나."

라고 어머니는 미소를 머금으며,

"맛있어. 여기 공기는 정말 맛있어."

라고 말씀하셨다.

그리고 모두 함께 웃었다.

현관에 들어가 보니 도쿄에서 온 짐이 이미 도착해 있었고, 현관에서 방까지 짐으로 가득했다.

"그리고 또 방에서 보는 전망이 좋아."

외삼촌은 들떠서 우리를 방으로 끌어당기며 데려가서 앉히셨다.

오후 세 시 무렵 겨울 햇살이 뜰 잔디에 부드럽게 떨어지고, 잔디에서 이어진 돌계단 초입 부근에 작은 연못이 있었으며, 매화나무가 대단히 많았다. 뜰 아래에는 귤밭이 펼쳐지고 마을 길이 나 있었으며 그 너머에는 물이 찬 밭이고 그보다 훨씬 더 먼 곳에는 소나무 숲이 있었으며, 숲 너머로 바다가 보인다. 이렇게 방에 앉아 있으면 내 가슴 끝과 바다의 수평선이 닿을 듯한 높이로 보였다.

"아늑한 경치구나."

라고 어머니는 깨나른하게 말씀하셨다.

"공기 탓일까요. 햇빛이 도쿄와 전혀 다르지 않나요. 볕이

깁체[2]로 내린 것 같아."

라고 나는 신이 나서 말했다.

10조[3]와 6조 방, 중국식 응접실과 현관이 3조, 욕실에도 3조의 공간이 있고, 거실과 부엌 그리고 이 층에 커다란 침대가 붙은 손님용 서양식 방이 하나. 딱 이만큼의 공간이었지만 우리 둘, 아니 나오지가 돌아와서 셋이 된다고 해도 갑갑하지 않을 것 같았다.

외삼촌은 이 촌락에서 한 채밖에 없다는 여관에 식사를 부탁하러 나가시고, 이윽고 도착한 도시락을 방에 늘어놓고서 지참한 위스키를 마시면서 이 산장의 이전 주인이었던 가와다 자작과 중국에서 놀았던 무렵의 실패담을 말씀하며 상당히 활기차셨지만, 어머니는 도시락에도 아주 살짝 젓가락을 가져가실 뿐이었다. 이윽고 주변이 어둑어둑해졌을 즈음,

"잠시, 이대로 누워있을게."

라고 작은 소리로 말씀하셨다.

짐 속에서 이불을 꺼내어 눕혀드리고도 어쩐지 신경 쓰였기에 짐에서 온도계를 꺼내어 열을 재어 보니 39도였다.

외삼촌도 놀랐는지 일단 마을에서 의사를 부르러 나가셨다.

---

2) 비단의 일종인 깁으로 쳇불을 멘 체. 보통 고운 가루를 치는 데 사용됨.
3) 1조 = 1.62㎡

"어머니!"

라고 불러도 정신을 차리지 못하셨다.

나는 어머니의 작은 손을 붙들고 훌쩍이며 울었다. 어머니가 너무 가여워서, 아니 우리가 너무도 가여워서 아무리 울어도 멈출 수 없었다. 울면서 이대로 어머니와 함께 죽고 싶다고 생각했다. 우리는 아무것도 필요 없다. 우리의 인생은 니시카타초의 집을 나왔을 때 이미 끝난 것이다.

두 시간 정도 지나서 외삼촌이 마을 선생님을 데려오셨다. 마을 선생님은 나이가 지극해 보였고 센다이히라仙台平 하카마[4]를 입고 하얀 다비白足袋[5]를 신고 있었다.

진찰이 끝나고,

"폐렴으로 악화할 가능성이 있습니다. 하지만 폐렴이어도 걱정은 없습니다."

라고 어쩐지 믿음직스럽지 못한 말씀을 하시며 주사를 놓고는 돌아가셨다.

이튿날에도 어머니의 열은 내려가지 않았다. 외삼촌은 내게

---

4) 미야기현 센다이 지방에서 생산되는 정교하고 두꺼운 실크 직물. 직물의 '질감', '정취', '향기' 그리고 '기품'이 있다고 일컬어진다. 원사의 성질을 그대로 살린 독자적인 기법으로 독특한 광택을 발산하고, 앉으면 우아하게 부풀어 오르고 세우면 주름이 깔끔하게 잡히며 단정하게 형태를 잡아주는 것이 특징이다.

5) 일본 전통 양말. 격식을 차려야 하는 자리에서는 흰색 다비를 착용한다. 그 외에는 검은색 다비나 색이 들어간 다비를 착용하는 경우가 많지만, 평상복에 흰 다비를 신어도 무방하다.

2천 엔을 건네시더니 만에 하나 입원을 해야 할 상황이면 도쿄에 전보를 치라는 말씀을 남기고 일단 그날 귀경하셨다.

나는 짐 속에서 당장 필요한 최소한의 취사도구를 꺼낸 후 죽을 만들어 어머니께 권했다. 어머니는 누워서 세 수저를 드시고는 고개를 저었다.

오후가 되기 조금 전에 마을 선생님이 다시 오셨다. 이번에는 하카마를 입지는 않았지만 여전히 하얀 다비는 신고 있었다.

"입원하는 편이……."

라고 내가 말씀드렸더니,

"아뇨, 그럴 필요는 없을 겁니다. 오늘은 약효가 강한 주사를 놓아 드릴 테니 열도 곧 내리겠죠."

라고 여전히 믿음직스럽지 못하게 대답했고 이른바 강한 주사라는 걸 주사하고 돌아가셨다.

하지만 강한 주사가 신통하게 효과를 봤는지 그날 오후가 지나서 어머니의 얼굴이 새빨개지며 심하게 땀이 났고, 잠옷을 갈아입을 때 어머니는 웃으며,

"명의일지도 모르겠네요."

라고 말씀하셨다.

열은 37도로 내려갔다. 나는 기쁜 마음에 이 마을에 한 채

뿐인 여관으로 달려가 그곳 여주인에게 부탁하여 달걀을 열 개나 받아서 곧장 반숙으로 만들어 어머니께 드렸다. 어머니는 반숙 세 개와 반 그릇의 죽을 드셨다.

이튿날 마을 명의가 다시 하얀 다비를 신고 방문하였고 강한 주사에 대해 인사했더니 약이 듣는 게 당연하다는 얼굴로 깊게 고개를 끄덕이며 정중하게 진찰을 끝내고 내 쪽을 돌아보시더니,

"어머니께선 이제 다 나으셨습니다. 그러하니 앞으로 뭘 드시든 뭘 하시든 괜찮을 것입니다."

라고 여전히 이상한 말투를 쓰셨기에 웃음보가 터지는 것을 참는 데 힘썼다.

선생님을 현관에서 배웅한 후 방으로 돌아와 보니 어머니는 이불 위에 앉아 계시며,

"정말 명의였네요. 이제 다 나았어."

라고 굉장히 즐거워 보이는 얼굴로 혼잣말처럼 훌쩍 말씀하셨다.

"어머니, 장지문을 열까요. 눈이 와요."

꽃잎처럼 커다란 함박눈이 둥실거리며 내리기 시작했다. 나는 장지문을 열고 어머니와 나란히 앉아서 유리창 너머로 이즈의 눈을 바라보았다.

“이제 아프지 않아.”

라고 어머니는 재차 혼잣말처럼 말씀하시고는,

“이렇게 앉아 있으면 예전 일이 전부 꿈이었던 것 같은 기분이 들어. 사실은 이사하려는 찰나에 이즈에 오는 게 너무 싫어졌어. 니시카타초의 집에 하루라도, 반나절이라도 더 오래 있고 싶었어. 기차에 탔을 땐 반쯤 죽어 있는 기분이었고 여기에 도착했을 때도 처음엔 조금 즐거운 기분이 들었지만 어둑어둑해졌더니 그저 도쿄가 그리워서 가슴이 타들어 가는 것처럼 정신이 아득해졌어. 보통 병이 아니에요. 하느님이 날 단번에 죽이시고 어제까지의 나와 다른 나로 되살리셨어요.”

그러고 나서 오늘까지 우리의 산장 생활이 아무 지장 없이 안온하게 이어져 왔던 것이다. 촌락 사람들도 친절하게 대해 주었다. 여기에 이사 온 것은 작년 십이월, 그로부터 일월, 이월, 삼월, 사월 오늘까지 우리는 식사 준비 외에는 대체로 정원 툇마루에서 뜨개질하거나 중국풍 방에서 책을 읽고 차를 마시며 세상과 유리된 것처럼 생활하였다. 이월에는 매화가 피고 촌락 전체가 매화꽃으로 뒤덮였다. 삼월이 되어도 바람 없는 온화한 날이 많았기에 만개한 매화는 의연하게 삼월 말까지 아름답게 피어 있었다. 아침 점심 저녁 밤 할 것 없이, 매화꽃은 한숨이 나올 정도로 아름다웠다. 툇마루 유리문을 열면 언제든 꽃향기가 방으로 살며시 흘러들었다. 삼월 말에는 저녁 무렵 반드시 바람이 불었고, 황혼 무렵 밥그릇을 앞에 두고 있으면 창문에서 매화 꽃잎이 날아와서 밥그릇 속에서 젖어 들어갔다. 사월에 어머니와 함께 툇마루에서 뜨개질하면서 나누는 화제는 대체로 밭을 일구는 계획이었다. 어머니도 거들고 싶다고 말씀하셨다. 아아, 이렇게 적어 보니 우리는 과거 어머니가 말씀하신 것처럼 한 번 죽고 다른 우리로 소생한 것 같았지만, 예수님 같은 부활은 보통 사람에게는 불가능한 일이지 않은가. 어머니는 그런 식으로 말씀하셨지만 여전히 수프를 한 수저 드시고는 나오지를 생각하며 탄식하셨고, 내 과거의 상처 자국도 실은 조금도 낫지 않았다.

아아, 무엇 하나 감추지 않고 확실하게 적고 싶다. 이 산장의 안온한 생활은 전부 거짓된 겉보기에 불과하다고 내심 생각할 때가 있다. 이것이 우리 모녀가 하느님께 받은 짧은 휴식 기간이라고 해도 이 평화는 어쩐지 불길했고 어두운 음영이 슬며시 침투한 것 같은 기분이 든다. 어머니는 행복을 가장하고 있으면서도 나날이 쇠약해지셨고, 내 가슴에는 독사가 깃들어 어머니를 희생시키면서도 살을 붙여가고 독하게 억눌러 보지만 비대해지며, 아아, 이것이 계절 탓이라고 할 수만 있다면 좋으련만. 당시 이런 생활이 견딜 수 없어질 때가 있었다. 뱀의 알을 굽는 상스러운 짓을 한 것도 이런 식으로 날 초조하게 만드는 마음의 발현 중 하나였음이 분명하다. 그렇게 어머니의 슬픔을 깊어가게 만들며 쇠약하게 할 뿐이었다.

사모한다고 적으면 그다음은 적을 수 없었다.

2

뱀의 알 사건이 있고 난 뒤 열흘 정도가 지나고 불길한 일이 계속되었고 어머니를 깊은 수심에 빠지게 하며 수명을 엷게 만들었다.

내가 화재를 일으킨 것이다.

내가 불을 낸 것이다. 내 생애 그런 무시무시한 일이 있으리라고는 어려서부터 지금까지 단 한 번도 생각해본 적이 없었는데.

츠이타테

나는 방심하면 불이 난다고 하는 지극히 당연한 사실도 알아차리지 못할 정도로 흔히 말하는 '공주님'이었던 것일까.

밤중에 화장실을 가려고 일어나서 현관 츠이타테衝立[6] 근처로

갔더니 욕실이 밝았다. 아무 생각 없이 살펴보니 욕실 유리가 새빨간 색이었고 타닥거리는 소리가 들렸다. 종종걸음으로 달려가서 욕실 쪽문을 열고 맨발로 밖에 나가 보았더니 욕실 가마도[7] 옆에 쌓아둔 장작더미가 엄청난 기세로 불타고 있었다.

뜰 너머에 보이는 농가에 뛰어가서 있는 힘을 다해 문을 두드리며,

"나카이 씨! 일어나세요, 불이에요!"

라고 외쳤다.

나카이 씨는 이미 잠들어 계셨던 것 같았지만,

"네, 곧장 가겠습니다."

라고 대답하며 내가 재촉하는 사이에 잠옷 상태로 집에서 뛰어나오셨다.

둘이서 불이 난 곳으로 돌아가서 양동이로 연못 물을 퍼서 끼얹고 있으려니 집 안 복도에서 어머니의 단말마 같은 비명이 들렸다. 나는 양동이를 내던지고 복도로 올라가서,

"어머니 걱정 마세요. 괜찮으니 쉬고 계세요."

라고 쓰러지기 직전인 어머니를 부둥켜안으며 만류하고, 침상으로 데려가 눕힌 후에 다시 불이 난 곳으로 급하게 돌아가

---

6) 방 안의 칸막이 또는 가림막으로 사용되는 가구.

7) 냄비, 가마솥 등을 덮고 그 아래에서 불을 지펴서 끓이기 위한 설비의 총칭. 한국의 부뚜막과 유사함.

서 이번에는 욕실 물을 퍼서 나카이 씨에게 건넸고 나카이 씨는 그것을 장작더미에 끼얹었지만 불기운은 강력했고 그런 것으로는 꺼질 것 같지 않았다.

"화재다. 화재다. 별장에 불이 났다."

라고 하는 소리가 아래쪽에서 들렸고 즉시 네다섯의 마을 사람이 울타리를 부수고 들어오셨다. 그 후 울타리 밑 용수[8]를 사용하여 양동이를 돌리는 릴레이식으로 몇 분도 채 지나지 않아서 진화하였다. 하마터면 욕실 지붕에 불이 옮겨붙을 뻔했다.

안도의 한숨을 내뱉은 순간 나는 이 화재 원인을 의식하고 마음이 철렁했다. 정말이지 그때 처음으로 이 화재 소동은 내가 저녁 무렵에 욕실 가마도에 있던 타다 남은 장작을 가마도에서 빼내고, 불이 꺼졌다는 생각으로 장작더미 곁에 둔 것이 원인이라는 사실을 알아차렸던 것이다. 그걸 깨닫고서 울고 싶은 마음에 우두커니 서 있었더니 앞집 니시야마西山 씨의 부인이 울타리 밖에서, "욕실이 전소되었어. 가마도의 불씨가 원인이구만." 하고 큰 소리로 말하는 게 들렸다.

촌장인 후지타藤田 씨, 니노미야二宮 경찰관, 소방관장 오우치大内 씨 등이 찾아왔고, 후지타 씨는 평소처럼 미소 지은 친절

---

8) 농업(관개), 공업 등 다양한 목적을 위하여 이용되는 물의 총칭.

한 모습으로,

"많이 놀랐겠군요. 어찌 된 일입니까?"

라고 물으셨다.

"제가 잘못했어요. 불을 껐다고 생각하고 장작을……."

라고 말하다가 자신의 처지가 너무나도 처량하여 눈물이 차올라 그대로 고개를 떨구고 아무 말도 하지 못했다. 경찰에게 연행되어 죄인이 될지도 모른다고 그때 생각했다. 맨발에 잠옷 차림 그대로의 흐트러진 제 모습이 급격하게 수치스러워지며 더더욱 견디기 힘들어졌다.

"알겠습니다. 어머니는?"

하고 후지타 씨는 위로하는 어투로 차분하게 말씀하셨다.

"방에서 쉬고 계셔요. 많이 놀라셔서……."

"하지만, 흐음."

하고 젊은 니노미야 경찰관도,

"집에 불이 번지지 않아서 다행이군."

이라고 위로하듯이 말씀하셨다.

그러자 농가의 나카이 씨가 복장을 갖추고 다시 방문하셔서는,

"그저 장작이 조금 탔을 뿐입니다. 불이 났다고 할 것도 없죠."

라고 숨을 헐떡이면서 말하며 내 어리석은 과실을 감싸주셨다.

"그렇습니까. 잘 알겠습니다."

하고 후지타 씨와 두어 번 고개를 끄덕이고 나서 니노미야 경찰관과 작은 목소리로 이야기를 나누더니,

"그러면 우린 돌아갈 테니 아무쪼록 어머니를 안심시켜주세요."

라고 말씀하시며 그대로 소방관장인 오우치 씨와 다른 분들과 함께 돌아가셨다.

니노미야 경찰관만 현장에 남았고 내 바로 앞까지 다가오셔서는 호흡만 하는 것 같은 낮은 목소리로,

"오늘 밤 일은 없던 것으로 하겠습니다."

라고 말씀하셨다.

니노미야 경찰관이 돌아가고 농가의 나카이 씨가,

"니노미야 씨는 뭐라고 하시디?"

라고 걱정스러우면서도 긴장한 목소리로 물으셨다.

"없던 일로 하겠다고 하셨어요."

라고 내가 대답하자 울타리 쪽에 있던 이웃분들이 나의 대답을 들었는지 "그래. 잘됐다, 잘됐어."라고 말하면서 줄줄이 돌아가셨다.

나카이 씨도 “잘 자거라.”라고 하며 돌아가시고 그 후에는 나 혼자 불탄 장작더미 옆에 우두커니 서서 울상을 지으며 하늘을 올려다보았더니 이미 여명에 가까워진 모습이었다.

욕실에서 손과 발, 얼굴을 씻은 후에 어머니를 만나는 게 어쩐지 두려워서 욕실에서 머리 모양을 고치며 꾸물거리다가 부엌으로 가서 날이 완전히 밝아질 때까지 별 필요도 없는 식기 정리 따위를 했다.

날이 밝고 방으로 발소리를 죽이며 살며시 가 보았더니 어머니는 이미 제대로 된 옷을 다 갈아입은 후, 중국풍 방 의자에 완전히 지친 것처럼 앉아 계셨다. 날 보고 빙그레 웃으셨지만 얼굴은 놀랄 만큼 창백했다.

나는 웃지 않고 가만히 어머니의 의자 뒤에 섰다.

이윽고 어머니가,

“별일 아니었던 모양이구나. 태우려고 쌓아놓은 장작인걸.”

하고 말씀하셨다.

나는 급속히 기분이 나아지며 웃음소리를 흘렸다. 이런 상황에 딱 맞는, 은 쟁반에 놓인 금 사과와 같다[9]는 성서의 잠언을 떠올리며, 상냥한 어머니를 가진 나의 행복에 대하여 더더욱 하나님께 감사했다. 어젯밤 일은 어젯밤의 일. 계속 곱

9) 잠언 25장.

씹을 것 없다고 생각하여 나는 중국풍 방 유리문 너머로 보이는 이즈의 아침 바다를 바라보면서 어머니 뒤에 계속 서 있었는데, 어머니의 고요한 호흡과 내 호흡이 찰떡같이 맞아떨어졌다.

아침 식사를 가볍게 끝내고 나서 장작더미 정리에 열중하고 있으려니 여관 여주인인 오사키お咲 씨가,

"대체 무슨 일이에요. 방금 처음 어제 일을 듣고 왔어요. 어젯밤 대체 무슨 일이 있던 거예요?"

사립문

라고 말하면서 뜰 사립문[10]에서 종종걸음으로 들어오셨는데 눈에는 눈물이 빛나고 있었다.

"죄송해요."

라고 나는 작은 소리로 사죄했다.

"미안하고 말고도 없죠. 그보다도 아가씨, 경찰은 어떻게 됐어요?"

"괜찮다네요."

---

10) 대나무로 틀을 만들고 마름모꼴로 엮어 만든 간단한 여닫이문. 정원 입구 등에 많이 쓰인다. 두 개를 L자 모양으로 엮어 간단하게 엮는 등 다양한 용도로 사용할 수 있다.

"그거 정말 다행이네."

라고 진심으로 기쁘다는 표정을 지으셨다.

나는 오사키 씨에게 마을 사람들에게 어떤 식으로 답례와 사죄를 하면 좋은지 상담했다. 오사키 씨는 역시 돈이 좋겠다고 말하며 그걸 가지고 사죄하기 위해 들러야 할 집들을 알려주셨다.

"하지만 아가씨 혼자서 다니는 건 힘들 테니 저도 동행해드리죠."

"혼자 가는 게 좋을까요?"

"혼자 갈 수 있어요? 그야 혼자 가는 편이 낫죠."

"혼자 갈게요."

그 후 오사키 씨는 불탄 곳의 정리를 조금 도와주셨다.

정리가 끝나고 나서 나는 어머니께 돈을 받아 백엔 지폐를 한 장씩 미농지에 싸서 쌈지에 하나하나 '사죄'라고 적어넣었다.

가장 먼저 주민센터에 찾아갔다. 촌장인 후지타 씨는 자리를 비웠기에 접수를 하는 여성에게 종이 쌈지를 건네며,

"어젯밤 일은 죄송했습니다. 앞으로 조심할 테니 부디 용서하세요. 촌장님께도 잘 전해주세요."

라고 사죄드렸다.

그러고 나서 소방관장인 오우치 씨의 댁에 갔는데, 오우치 씨가 현관에 나오셔서 날 보며 가만히 슬퍼 보이는 미소를 지으셨고, 나는 무슨 영문인지 갑자기 울고 싶어지며,

“어젯밤은 죄송했습니다.”

라고 말하는 게 한계였고 급히 자리를 뜨며 걷는데 눈물이 넘쳐흐르며 얼굴이 엉망이 되었기에, 일단 집으로 돌아가서 세면대에서 얼굴을 씻고 화장을 고치고 나서 다시 나가려고 현관에서 신발을 신고 있으려니 어머니가 나오시더니,

“또 어딜 가니?”

라고 말씀하셨다.

“네, 지금 가려고요.”

나는 얼굴을 들지 않고 대답했다.

“고생하네.”

침착하게 말씀하셨다.

어머니의 애정에 힘을 얻어 이번에는 한 번도 울지 않고 전부 돌 수 있었다.

구청장의 집에 갔더니 구청장은 외출 중이고 며느님이 나오셨지만 날 보더니 도리어 그녀가 눈물지었고, 경찰서에서는 니노미야 경찰관이 다행이라고 하는 등 모두 다 상냥하였고 이웃집을 도는 와중에 모든 분이 동정하고 위로해주셨다. 그

저 앞집에 있는 사십 정도 된 니시야마 씨의 부인만은 매몰차게 혼냈다.

"앞으로는 주의해 주세요. 귀족 아가씨인지 뭔지 모르겠지만 난 전부터 당신들의 소꿉장난 같은 생활을 마음 졸여가며 보고 있었어요. 어린애 둘이서 사는 것과 다르지 않으니 이제까지 화재가 일어나지 않은 게 신기할 지경이지. 정말이지 앞으로 조심 좀 하세요. 어젯밤 일도, 그때 바람이 강하게 불기라도 했더라면 이 마을 전체로 불이 번졌을 거예요."

농가의 나카이 씨들은 촌장님이나 니노미야 경찰관 앞에 나서서 불이 났다고 할 것도 없다고 하며 감싸주셨는데, 니시야마 씨의 부인은 울타리 밖에서 "욕실이 전소되었어. 가마도의 불씨가 원인이구만."이라고 큰 소리로 말하던 사람이었다. 하지만 나는 그녀의 잔소리에서도 진심을 느꼈다. 지당한 말씀이라고 생각하였다. 니시야마 씨의 부인을 조금도 원망하지 않는다. 어머니는 태우기 위한 장작이라고 하며 농담처럼 날 위로해주셨지만, 이때 바람이 강했더라면 그녀의 말대로 이 마을 전체가 불탔을지도 모를 일이었다. 그렇게 되었다면 나는 죽어서 사죄를 한대도 갚을 길이 없었다. 내가 죽는다면 어머니도 살아가실 수 없을 테고 돌아가신 아버지의 함자를 더럽히게 된다. 이젠 귀족이나 화족 같은 것도 별 소용이 없지만 어차피 망할 것이라면 밝고 아름답게 망하고 싶다. 불을 내고 사죄를 하기 위해 죽는다니, 그런 비참한 말로는 죽어도 완벽하게 죽을 수 없다. 아무튼 좀 더 똑 부러져야만 한다.

나는 이튿날부터 밭일에 힘을 쏟았다. 농가의 나카이 씨의 따님이 때때로 도와주러 오셨다. 화재를 내는 추태를 부리고 나서는 내 육체의 피가 어쩐지 조금 검붉어진 것 같았고, 그 전에는 내 가슴에 짓궂은 살무사가 살았는데 이번엔 피의 색마저 조금 변했으니 드디어 야생의 시골 처녀로 변모했다는 기분으로 어머니와 툇마루에서 뜨개질 같은 걸 하고 있으면 이상하게 갑갑하고 답답한 마음에 도리어 밭에 나가 흙을 접하는 편이 마음 편했다.

근육노동이라고 할까. 이런 힘쓰는 일이 처음은 아니었다. 나는 전쟁 때 징용당하여 달구질까지 하게 되었다. 지금 밭에 신고 나와 있는 작업용 다비地下足袋[11]라는 것도 그때 군에서 배급받은 것이었다. 작업용 다비라는 걸 그때 태어나서 처음으

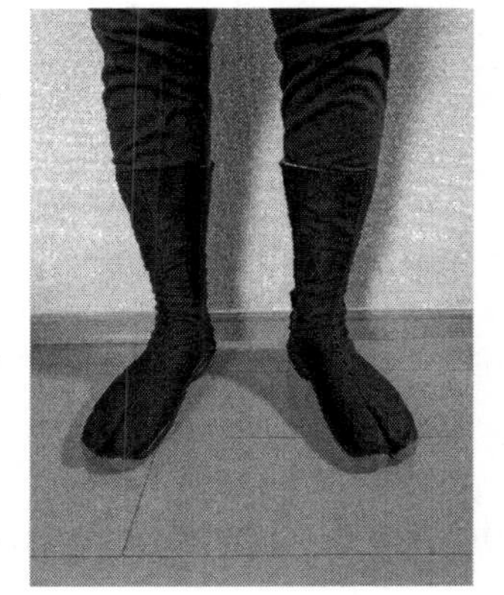

작업용 다비

11) 바닥에 고무 밑창이 달린 작업용 또는 노동용 다비이다. 농림업이나 목수, 미장 등 야외에서 작업하는 사람을 위한 작업용으로 사용되었다.

로 신어 보았으나 놀랄 만큼 착용감이 좋았고, 그걸 신고 뜰을 걸어보면 새와 짐승이 맨발로 지면을 걷고 있는 민첩함이 내게도 잘 이해될 것 같은 기분이 들었으며, 가슴이 먹먹할 만큼 굉장히 기뻤다. 전쟁 중에 즐거운 기억은 딱 이것 하나. 생각해보면 전쟁 따윈 참 재미가 없다.

작년은 아무 일도 없었다.
재작년은 아무 일도 없었다.
재재작년에도 아무 일도 없었다.

이런 재미있는 시가 종전 직후 신문에 실려 있었으나, 지금 떠올려 보면 정말이지 여러 일이 있었던 것 같은 기분이 들면서도 역시 아무것도 없었던 것 같은 기분도 든다. 나는 전쟁의 추억은 말하는 것도 듣는 것도 싫다. 사람이 많이 죽었는데도 진부하고 지루하다. 난 역시 구제 불능인 걸까. 내가 징용되어 작업용 다비를 신고 강제로 달구질을 하게 되었을 때의 일만은 그렇다고 생각할 수 없다. 너무나 싫은 일을 당했지만 달구질 덕분에 내 몸은 튼튼해졌고, 지금도 어쩌다가 생활이 곤궁해지면 달구질을 하여 살아가겠다고 생각한 적이 있기도 하다.

전쟁 국면이 서서히 절망적으로 변해갔을 무렵, 군복 같은 것을 입은 남자가 니시카타초 집에 찾아와서 내게 징용 종이와 노동 일정을 적은 종이를 건넸다. 그 종이를 보니 다음 날부터 하루 간격으로 다치카와立川에 있는 깊은 산을 다녀야만 했기에 저도 모르게 눈에서 눈물이 났다.

"대리인을 쓰면 안 됩니까?"

멈추지 않는 눈물과 함께 훌쩍거리며 울었다.

"군에서 당신을 징용하겠다는 뜻이니 반드시 본인이어야 한다."

라고 그 남자는 강한 어조로 대답했다.

나는 결심을 다졌다.

그다음 날은 비가 왔다. 우리는 다치카와 산기슭에 정렬했고 장교의 일장 연설이 있었다.

"전쟁에는 반드시 이긴다."

라고 서두를 떼며,

"전쟁에는 반드시 이기겠지만 다들 군의 명령대로 일하지 않으면 작전에 지장이 생기고 오키나와처럼 될 것이다. 반드시 분부한 만큼의 일은 완수해야만 한다. 그리고 이 산에 스파이가 들어와 있을지도 모르니 서로 주의하도록. 앞으로 장병들과 똑같이 진지에서 일하게 될 테니 진지의 상태는 절대로 누설하지 않게 충분히 주의하도록."

하고 말했다.

산에는 비가 자욱이 끼며 남녀를 합쳐 오백에 가까운 대원이 비에 젖은 상태로 서서 그 이야기를 배청拜聽[12]하고 있었다. 대원 중에는 초등학생 아이들도 섞여 있었고, 다들 추운지 울상을 지었다. 비는 내 우비를 뚫고 상의에 스며들며 이윽고 속옷까지 적셨다.

그날은 종일 짐을 날랐고 귀갓길 열차 안에서 눈물이 나서 견딜 수가 없었지만, 그다음 날에 한 일은 합동으로 끈을 잡아당기는 일이었다. 나는 그 일이 가장 재미있었다.

두 번, 세 번, 산에 다니는 동안 초등학교 남학생들이 내 모습을 기분 나쁘게 힐끔거렸다. 어느 날 내가 짐을 나르고 있자 두어 명의 남학생이 나와 엇갈려 지나가면서 그중 한 명이,

"저놈이 스파이인가."

라고 작은 소리로 말하는 걸 듣고 깜짝 놀라고 말았다.

"왜 저런 말을 하는 걸까."

라고 나와 함께 짐을 짊어지고 걷고 있던 젊은 여성에게 물었다.

---

12) 삼가 공손히 듣다.

“외국인 같으니까.”

젊은 여성은 진솔하게 대답했다.

“당신도 날 스파이라고 생각하셔요?”

“아뇨.”

이번에는 살며시 웃으며 대답했다.

“저 일본인이에요.”

라고 말하며 자신의 그 말이 스스로도 바보 같고 난센스라고 생각되어 홀로 키득거리며 웃었다.

화창한 어느 날에 아침부터 남자들과 함께 통나무를 나르고 있었는데 감시 당번인 젊은 장교가 얼굴을 찌푸리며 나를 가리키더니,

“거기, 너. 넌 이쪽으로 좀 와 봐.”

라고 하며 급히 소나무 숲 쪽으로 걸어갔다. 내가 불안과 공포로 가슴을 졸이며 그 뒤를 따랐는데, 숲속에는 제재소 Sawmill에서 막 온 나무판이 쌓여 있었고 장교는 그 앞으로 와서 멈추더니 방향을 돌려 내 쪽을 돌아보면서,

“매일 괴롭지요. 오늘은 이 목재를 지켜보고 계십시오.”

라고 말하며 하얀 이를 드러내며 웃었다.

“여기에 서 있으면 됩니까?”

“여긴 시원하고 조용하니 이 나무판 위에서 낮잠이라도 주

무십시오. 만일 지루하다면 이걸. 이미 읽으셨을지도 모르겠지만."

라고 하며 상의 주머니에서 작은 문고판 책을 꺼내어 겸연쩍은 듯이 판 위에 두더니,

"이런 거라도 읽고 계십시오."

책에는 '트로이카'라고 적혀 있었다.

나는 그 책을 집어 들고,

"고맙습니다. 우리 집에도 책을 좋아하는 사람이 있어요. 지금은 남쪽에 가 있지만요."

라고 말씀드렸더니 잘못 들었는지,

"아아, 그랬나. 당신 남편이군요. 남쪽이면 힘들겠군요."

라고 고개를 저으며 숙연하게 말하고는,

"일단 오늘은 여기서 지켜보는 일을 하고 당신 몫의 도시락은 나중에 제가 가져다드릴 테니 편히 쉬고 계십시오."

라는 말을 남기고 급한 발걸음으로 돌아갔다.

나는 목재에 앉아서 책을 읽다가 반 정도 읽었을 때 그 장교가 뚜벅뚜벅 구두 소리를 내며 찾아오더니,

"도시락을 가져 왔습니다. 혼자서 무료하시죠."

라고 하며 도시락을 초원에 올려두고 다시 서둘러 돌아갔다.

나는 식사를 끝마치고 나서 이번에는 목재 위로 기어 올라가 누워서 책을 읽었고, 전부 읽고 나서 고개를 떨어뜨리며 선잠에 빠졌다.

눈이 떠진 것은 오후 세 시가 지나서였다. 나는 문득 그 젊은 장교를 예전에 어디선가 본 적이 있는 듯한 기분이 들어 곰곰이 생각해보았지만 생각나지 않았다. 목재에서 내려와 머리를 매만지고 있었더니 다시 구두 소리가 나며,

"오늘은 고생하셨습니다. 이제 돌아가셔도 됩니다."

나는 장교에게 달려가서 책을 내밀며 인사를 건네려고 했지만 말이 나오지 않아 가만히 장교의 얼굴을 올려다보았는데, 둘의 눈이 마주쳤을 때 내 눈에서 눈물이 주룩주룩 흘러내렸다. 그러자 장교의 눈에도 반짝거리며 눈물이 빛났다.

아무 말 없이 그대로 헤어졌으나 그 젊은 장교는 그 후로 다시는 우리가 일하고 있는 곳에 얼굴을 내밀지 않았고, 나는 그날 단 하루 놀 수 있었을 뿐 그로부터는 하루 간격을 두고 다치카와의 산에서 괴롭게 작업했다. 어머니는 내 몸을 항상 염려했지만 나는 도리어 튼튼해졌고 지금으로서는 달구질이란 일에도 은근히 자신감을 느끼고 있었으며, 밭일에도 별다른 고통을 느끼지 않는 여자가 되었다.

전쟁에 대해서는 말하는 것도 듣는 것도 싫다고 하면서 저

도 모르게 자신의 '소중한 경험담' 따위를 늘어놓고 말았지만, 내 전쟁의 추억 중에 조금이라도 말하고 싶은 것은 대충 이 정도고, 그 외에는 저번에 봤던 그 시처럼,

작년은 아무 일도 없었다.
재작년은 아무 일도 없었다.
재재작년에도 아무 일도 없었다.

라고 말하고 싶어질 만큼 그저 바보 같았고 내 몸에 남은 것은 작업용 다비 한 켤레라고 하는 덧없음이었다.

어느새 작업용 다비라는 쓸데없는 이야기를 시작하여 탈선하였지만 난 이 전쟁의 유일한 기념품이라고 해야 할 작업화를 신고서, 매일 같이 밭에 나가 가슴 속 몰래 감춰둔 불안과 초조를 덮어보려고 했지만, 당시 어머니는 나날이 눈에 띄게 약해져 가는 것처럼 보였다.

뱀의 알.

화재.

당시부터 어머니는 부쩍 병자 같았다. 그리고 내 쪽은 그와 반대로 점차 억세고 비천한 여자가 되어 간 것 같다. 아무래도 어머니로부터 점차 생기를 빨아먹으면서 살이 오르는 기분

이 들어 견딜 수 없었다.

화재 때도 어머니는 “태우기 위한 장작인걸.”이라는 농담을 하시며 화재에 대해서는 일절 함구하였고 도리어 날 위로하셨는데, 어머니가 받으신 충격은 나보다 열 배는 강했던 게 틀림없다. 화재가 있고 나서 어머니는 밤중에 때때로 신음을 흘린 적이 있고, 바람이 강한 밤에는 화장실에 가는 척을 하며 심야에 몇 번이고 잠자리에서 빠져나가 집안을 둘러보셨던 것이다. 안색은 언제나 칙칙했고 걸음도 겨우 떼시는 것처럼 보이는 날마저 있었다. 예전에는 밭일을 돕고 싶다고 말씀하셨지만 내가 한번 하지 마시라고 말씀드렸는데, 큰 들통으로 우물물을 밭에 대여섯 번 옮기시고는, 다음 날 숨도 쉬지 못할 정도로 어깨가 뻑적지근하다고 말씀하시고는 온종일 누워 계셨다. 그런 일이 있고 나서는 밭일은 포기하신 모양이었고 가끔 밭에 나오셔서는 내가 일하는 모습을 그저 가만히 지켜보실 뿐이었다.

자귀나무

“여름꽃을 좋아하는 사람은 여름에 죽는다고 하는데 정말 그럴까?”

오늘도 어머니는 내가 밭에서 일하는 모습을 가

만히 지켜보고 계시다가 문득 그런 말씀을 하셨다. 나는 묵묵히 가지에 물을 주고 있었다. 아아, 그러고 보니 벌써 초여름이다.

협죽도

"난 자귀나무 꽃을 좋아하는데 이 정원에는 한 그루도 없네요."

라고 어머니는 다시 나긋나긋하게 말씀하셨다.

"협죽도는 많잖아요."

나는 일부러 퉁명스러운 어조로 말했다.

"저건 싫어요. 여름꽃은 대체로 좋아하지만 저건 너무 활기차고 가벼워서."

"전 장미가 좋아요. 그건 사계절 피니까 장미를 좋아하는 사람은 봄에 죽고 여름에 죽고 가을에 죽고 겨울에 죽고 네 번이나 죽었다 살았다를 해야 하나요?"

모녀는 웃었다.

"조금 쉬지 않을래?"

라고 어머니는 짙게 미소를 띠며,

"오늘은 가즈코에게 상담하고 싶은 게 있어."

"뭔데요? 죽는소리라면 사양할게요."

나는 어머니의 뒤를 따라 등나무 시렁 밑 벤치에 나란히 앉았다. 등나무 꽃은 이미 지고 부드러운 오후의 햇살이 잎사귀를 통하여 우리에게 떨어지며 우리의 무릎을 푸른색으로 물들였다.

“전부터 묻고 싶었던 건데, 둘 다 기분 좋을 때 이야기하려고 지금까지 기회를 엿보고 있었어. 어차피 좋은 이야기는 아니야. 하지만 오늘은 나도 술술 말할 수 있을 것 같으니까 일단 너도 끝까지 들어줬으면 좋겠어. 실은 말이지. 나오지는 살아 있어.”

나는 몸이 굳어졌다.

“오륙일 전에 외삼촌한테 편지가 왔는데, 예전에 외삼촌 회사에 근무하셨던 분께서 최근 남쪽에서 귀환해서 인사차 오셨는데, 그때 이런저런 이야기 끝에 그분께서 우연히도 나오지와 같은 부대였고, 나오지는 무사하고 얼마 안 있어 귀환할 거라는 걸 알았어. 하지만 말이지. 한 가지 안 좋은 소식이 있어. 그분의 이야기로는 나오지는 중증의 아편 중독에 걸린 것 같다고…….”

“또!”

나는 쓴 음식을 먹은 것처럼 입을 일그러뜨렸다. 나오지는 고등학교 시절에 어느 소설가를 흉내 내며 아편 중독에 걸렸고, 그 탓에 약국에서 거액의 빚을 져서 어머니가 그 빚을 전부 갚는 데 이 년이나 걸렸던 전적이 있다.

“그래. 또 시작한 것 같아. 하지만 그게 낫지 않으면 귀환 허가도 나지 않았을 테니까 완치 후에 돌아올지도 모르겠다고 그분께서도 말씀하셨다고 해. 외삼촌 편지에는 나아서 돌아온다고 해도 그런 마음가짐으로는 곧바로 어딘가에서 일할 수도 없다면서, ‘현재 혼란한 도쿄에서 일하는 건 제대로 된 사람조차 조금 힘들 것 같다. 중독을 갓 치료한 반병자라면 곧장 발광의 조짐을 보이며 무슨 짓을 저지를지 알 수 없다. 그래서 나오지가 돌아온다면 곧장 이즈의 산장에서 맡아서 어디에도 보내지 말고 당분간 요양시키는 편이 낫다.’ 그게 하나. 그리고 있지, 가즈코. 외삼촌이 말이야. 하나 더 말씀하셨어. 외삼촌 말씀으로는 이제 우리 돈이 하나도 안 남았다고 해. 저금의 봉쇄나 재산세 같은 것 때문에 외삼촌도 지금처럼 돈을 보내기 힘들어지셨다고 하네. 그래서 말이야, 나오지가 돌아오면 엄마와 나오지, 가즈코 이렇게 셋이 놀면서 살다간 외삼촌도 생활비를 융통하는 게 많이 버거울 테니까 이참에 가즈코를 시집 보내든지 아니면 고용살이할 곳을 찾아보든지 하라고 하는, 아무튼 그런 이야기였어.”

“고용살이라는 건 하인?”

“아니, 외삼촌이 말이야. 그거 있잖아, 그 고마바駒場의.”

라고 어느 공주님의 성함을 말씀하시며,

“그 공주님이라면 우리와도 혈연관계가 있고, 공주님의 가정교사를 겸해서 고용살이로 들어가도 가즈코가 이렇게 적적하고 갑갑하다고 할 일은 없지 않을까 싶어서 말씀하신 거야.”

“그 외에는 일할 곳이 없을까요?”

“다른 직업은 가즈코에겐 많이 힘들 거라고 했어.”

“왜 힘들어요? 저기, 왜 그런데요?”

어머니는 쓸쓸한 듯이 미소 지으셨지만 아무 대답도 하지 않으셨다.

“싫어요! 그런 말.”

자신도 해서는 안 될 말을 했다고 생각했다. 그러나 멈출 수 없었다.

“내가 이런 작업화를, 이런 작업화를.”

라고 말했더니 눈물이 나서 어느새 왈칵 울어 젖혔다. 얼굴을 들고 눈물을 손바닥으로 닦아내면서 어머니께 심한 말을 해서는 안 된다고 반복적으로 생각하면서도 말이 무의식적으로, 육체와 전혀 관계없이 연달아 이어져 튀어나왔다.

“언젠가 말씀하시지 않았나요. 가즈코가 있으니까, 가즈코가 있으니 이즈에 가는 거라고 말씀하셨잖아요. 가즈코가 없으면 죽을 거라고 말씀하시지 않았나요. 그래서 가즈코는 아무 데도 안 가고 어머니 곁에서 이렇게 작업화를 신고 어머니께 맛있는 야채를 드리고 싶다는 일념뿐이었는데, 나오지가 돌아온다는 걸 들으시고는 갑자기 절 거추장스러워하시며 공주님의 하녀로 가라고 하시다니 너무하세요. 정말 너무하세요."

자신도 심한 말을 내뱉고 있다고 생각하면서도 다른 생물이 된 것처럼 말이 전혀 멈추지 않는 것이다.

"빈곤해져서 돈이 없어지면 우리 옷을 팔면 되지 않나요? 이 집도 팔아버리면 되잖아요. 우리는 뭐든 할 수 있잖아요. 이 마을 주민센터 사무원이든 뭐든 될 수 있어요. 주민센터에서 고용해준다면 달구질이래도 할 수 있어요. 빈곤 같은 건 아무것도 아니에요. 어머니만 절 귀여워해 주시면 전 평생 어머니 곁에 있겠다고 생각했는데 어머니는 저보다 나오지를 귀애하시는 거군요. 나갈게요. 제가 나갈게요. 어차피 전 예전부터 나오지와 성격이 안 맞았으니 셋이서 함께 살면 서로가 불행할 거예요. 지금까지 오랫동안 어머니와 단둘이서 살았으니 여한은 없어요. 앞으로 나오지가 어머니와 둘이서 오붓하게 살 거고 나오지가 더 잘 효도하겠죠. 전 이제 지긋지긋해요. 이런 생활이 싫어졌어요. 나가겠어요. 오늘 당장 나갈게요. 전 갈 곳이 있어요."

나는 일어났다.

"가즈코!"

어머니는 엄하게 말씀하셨고, 지금까지 내게 보인 적이 없을 만큼 위엄으로 가득한 표정을 지으며 곧장 일어나더니 날 마주 보았는데 나보다도 키가 조금 커 보였다.

나는 죄송하다고 곧장 사죄하고 싶었지만 그것이 입에서 맴돌며 나오지 않고 도리어 다른 말이 튀어나왔다.

"속였군요. 어머니는 절 속인 거예요. 나오지가 올 때까지 절 이용하고 계셨던 거예요. 전 어머니의 하녀. 필요 없어지면 이번에는 공주님이 계신 곳으로 가라고."

큰 소리를 내며 나는 선 채로 힘차게 울었다.

"당신은 바보군요."

라고 낮은 어조로 말씀하시는 어머니의 목소리는 분노로 떨리고 있었다.

나는 얼굴을 들고,

"그래요, 바보예요. 바보니까 속은 거예요. 바보니까 애물단지 취급을 받는 거예요. 없는 편이 낫죠? 빈곤하다는 게 뭔데요? 돈이라는 게 뭔데요? 전 모르겠어요. 애정을, 어머니의 애정을, 그것만을 믿으며 살아왔어요."

라고 다시 바보 같은, 해서는 안 될 말을 입에 담았다.

어머니께선 살며시 얼굴을 돌리셨다. 울고 계신 것이다. 나는 죄송하다고 사죄하며 어머니께 안기고 싶다고 생각했지만 밭일로 손이 더러워져 있는 것이 약간 신경 쓰여서 본의 아니게,

"저만 없으면 되는 거죠? 나갈게요. 전 갈 곳이 있어요."

라는 말을 남기고 종종걸음으로 달려 욕실로 가서 흐느껴 울면서 얼굴과 손발을 씻고, 그러고 나서 방으로 돌아가 옷을 갈아입는 사이에 다시 큰 소리로 오열하며 쓰러져 울다가, 더욱더 울고 싶은 마음에 이 층 서양식 방으로 올라가서 침대에 몸을 던지며 담요를 머리까지 덮고 살이 빠질 만큼 심하게 울어 젖히다가, 그러는 사이에 정신이 아득해지며 점차 그 사람이 너무도 그리웠고 얼굴을 보고 목소리를 듣고 싶어서 견디지 못하고, 두 다리 뒤에 뜨거운 뜸을 올리고 가만히 감정을 억누르고 있는 것 같은 특수한 기분에 휩싸였다.

저녁 무렵에 어머니는 조용히 이 층 방으로 들어와서 전등불을 켜고 난 후에 침대 쪽으로 다가오시더니,

"가즈코."

라고 굉장히 상냥하게 부르셨다.

"네."

나는 일어나서 침대 위에 앉아 양손으로 머리카락을 그러모

으며 어머니의 얼굴을 보면서 가만히 웃었다.

어머니도 옅은 미소를 띠며 창문 밑 소파에 깊게 몸을 기대시며,

"태어나서 처음으로 외삼촌의 말을 어겼어. ……엄마는 말이지. 지금 막 외삼촌에게 그에 대한 편지를 썼거든. 내 아이들에 대한 건 내게 맡기라고 적었어. 가즈코, 옷을 팔자꾸나. 둘이서 옷을 하나둘 팔아서 맘껏 사치를 부리며 살자꾸나. 앞으로 네게 밭일 같은 건 시키고 싶지 않아. 비싼 야채를 사면 되지 않니. 매일 밭일을 하는 건 네겐 힘든 일이야."

사실은 나도 매일 밭일을 하는 게 점차 괴로워지려고 하는 중이었다. 방금 정신이 나간 것처럼 그렇게 울부짖었는데도 밭일의 피로와 서글픔이 섞여서 모든 게 한스럽고 진력이 난 것이다.

나는 침대 위에서 고개를 숙이고 아무 말도 하지 않았다.

"가즈코."

"네."

"갈 곳이 있다는 건 어디니?"

난 목덜미까지 벌게진 것을 의식했다.

"호소다細田님?"

나는 대답하지 않았다.

어머니는 깊은 한숨을 내쉬시고는,

"예전 일을 말해도 되겠니?"

"그럼요."

라고 나는 작은 소리로 말했다.

"네가 야마키山木 님의 댁에서 나와 우리 집에 돌아왔을 때 엄마는 널 힐책하지 않았지만 딱 하나, 엄마가 너한테 '배신당했다'라고 했었지. 기억나니? 그랬더니 넌 울음을 터트렸고……. 나도 배신했다는 식으로 심한 말을 써서 미안했지만……."

하지만 나는 그때 어머니께 그런 말을 듣고 어쩐지 고맙고 기뻐서 울음을 터트린 것이다.

"엄마가 말이지, 그때 배신당했다고 말했던 건 네가 야마키 님 집을 나온 것에 대한 게 아니었어. 야마키 님으로부터 가즈코는 사실 호소다와 사랑하는 사이였다는 말을 들었을 때였거든. 그런 말을 들었을 땐 정말 핏기가 가시는 마음이었지. 그도 그럴 게 호소다 님께는 오래전부터 부인과 자녀가 있었고, 아무리 네가 사모한 대도 어떻게 될 일도 아니었고……."

"서로 사랑하는 사이라니 심한 말을. 야마키 님이 그저 그릇된 추측을 하셨던 거예요."

"그랬니. 설마 호소다 님을 여전히 마음에 품고 있는 건 아니겠지. 갈 곳이란 건 어디?"

"호소다 님은 아니에요."

"그래? 그러면 어디?"

"어머니, 저는요. 요전번에 생각한 게 있는데 인간이 다른 동물과 완전히 다른 점은 뭘까요. 말도, 지혜도, 사고도, 사회의 질서도, 다들 정도의 차이는 있어도 타 동물도 모두 갖고 있잖아요? 신앙도 갖고 있을지도 모를 일이죠. 인간은 만물의 영장이라고 으스대지만 다른 동물과 본질적으로 차이가 없는 것 같지 않아요? 그런데 말이에요 어머니, 딱 하나 있었어요. 알고 계세요? 다른 동물에겐 절대로 없고 인간에게만 있는 것. 그건 말이에요 비사祕事라는 거예요. 어때요?"

어머니는 살짝 홍조를 띠시며 아름답게 웃으시더니,

"아아, 가즈코의 비사가 좋은 열매를 맺어준다면 더할 나위

(좌) 싸리꽃 (우) 패랭이꽃

없겠지만. 엄마는 매일 아침 아버지한테 가즈코를 행복하게 해주십사 기도하고 있거든."

내 가슴에 아버지와 나스노那須野를 드라이브하다가 중간에 내려서 본 가을 들판의 풍경이 살며시 떠올랐다. 싸리, 패랭이꽃, 용담, 여랑화 따위의 가을꽃이 피어 있었다. 노지 포도 열매는 설익었다.

그러고 나서 아버지와 비와코琵琶湖에서 모터보드를 탔고 내가 물에 뛰어들어 수초에 사는 작은 물고기가 내 발에 닿았으며, 호수 밑바닥에 내 다리의 그림자가 확연하게 비치며 움직이고 있는 그 모습이 전후 관계도 없이 어느새 가슴에 떠올랐다가 사라졌다.

나는 침대에서 슬그머니 내려와 어머니의 무릎을 얼싸안고 처음으로,

(좌) 용담 (우) 여랑화

"어머니, 아까는 죄송했어요."

라는 말을 할 수 있었다.

돌아보면 그 무렵이 우리에게 남은 행복의 마지막 불이 빛났던 때였고, 그 후 나오지가 귀환하여 진정한 지옥이 시작되었다.

3

아무래도 더는 버틸 수 없을 듯한 불안감, 이것이 불안이라고 하는 감정일까. 가슴에 괴로운 물결이 들이닥치며 마치 소나기가 그친 후의 하늘을 부산스럽게 흰 구름이 잇달아 달려가는 듯한, 내 심장을 조이거나 느슨하게 하며 내 맥은 결체結滯[13]하여 호흡이 희박해지고 시야가 어스름하게 어두워지며 온몸의 힘이 손가락 끝에서 쑥 빠져나가는 기분이 들어 뜨개질을 계속하는 것도 힘들었다.

당시 비가 음울하게 이어지며 뭘 해도 심란했고 오늘은 툇마루에 등나무 의자를 꺼내놓고, 올해 봄에 뜨개질하다 만 스웨터를 다시 떠 볼 생각이 들었던 것이다. 연한 핑크의 모란꽃이 부예진 것 같은 빛깔의 털실에 코발트블루 실을 더하여

13) 심장의 고장이나 쇠약 등으로 인하여 맥박이 불규칙하게 되거나, 가끔 박동이 끊어지는 증세.

스웨터를 완성할 참이었다. 연한 분홍색 털실은 오늘로부터 이십 년 전, 내가 아직 초등학교에 다니고 있을 무렵 어머니가 내 머플러를 떠주셨던 그것이었다. 머플러 끝은 뒤집어쓸 수 있었는데 그걸 쓰고 거울을 보았더니 작은 도깨비처럼 보였다. 게다가 다른 학우의 머플러와 색상이 완전히 달랐기에 너무나도 싫었다. 관서 지방의 고액 납세자인 학우가 "좋은 목도리를 두르고 있네." 하고 어른스러운 말투로 칭찬해 주었지만, 나는 창피한 나머지 그 후 이 머플러를 다시 착용한 적이 없었고 오랫동안 내던져두었다. 그것을 올해 봄 사장품[14]의 부활이라는 의미로 풀어내어 스웨터로 만들어 보려고 했지만 아무래도 번진 듯한 이 색상이 마음에 들지 않았기에 다시 방치했고, 오늘 별생각 없이 꺼내어 여유롭게 떠 보았다. 하지만 그러는 사이에 연한 핑크빛 털실과 비 오는 잿빛 하늘이 하나로 엮이며 형언할 수 없을 정도로 부드럽고 온화한 색조를 만들어내고 있다는 사실을 깨달았다. 나는 몰랐던 것이다. 코스튬은 하늘빛과 조화를 생각해야만 한다는 중요한 사실을 말이다. 조화란 이 어찌 아름답고 멋진 일이란 말인

모란꽃

14) 필요한 곳에 활용하지 않고 썩혀 둔 물건 따위를 이르는 말.

가. 적잖이 놀라며 어리둥절해졌다. 잿빛 하늘과 연한 핑크빛 털실을 조합했더니 양쪽이 동시에 생생해진다니 신기할 따름이다. 손에 들고 있는 털실이 갑자기 포근하고 따뜻했고, 차가운 비가 내리는 하늘도 벨벳처럼 부드럽게 느껴졌다. 모네의 안개 속 사원 그림을 연상시켰다. 나는 이 털실 색깔에 의해 처음으로 '구goût'[15]라고 하는 것을 습득한 기분이 들었다. 심미안. 어머니는 겨울 눈 내리는 세상에 연한 핑크빛이 얼마나 아름답고 조화로운지 제대로 알고 계셨기에 일부러 골라주었던 것인데, 바보같이 싫어하던 나, 어린아이였던 내게 강요하지 않고 저 좋도록 해주셨던 어머니. 내가 색깔의 아름다움을 진정으로 이해하기까지 이십 년이나 한마디 설명도 않으시고 묵묵히 눈을 감고 기다려주신 어머니. 좋은 어머니를 두었다고 절절하게 생각함과 동시에 이런 어머니를 나와 나오지 둘이서 괴롭히며 곤란하게 하면서 쇠약하게 만들고, 결국 돌아가시게 만드는 건

모네의 안개 속 사원 그림 (The Portal of Rouen Cathedral in Morning Light<1894>)

15) 안목, 센스, 심미안 등의 의미를 뜻하는 프랑스어.

아닐까 싶어서 견딜 수 없는 공포와 걱정의 구름이 가슴에서 끓어올랐다. 이런저런 생각을 하면 할수록 앞날이 너무나도 두렵고 나쁜 일만 예상되며 이대로 더는 살 수 없을 만큼 불안해졌고, 손끝의 힘도 빠지고 대바늘을 무릎에 두고 크게 한숨을 쉰 후 얼굴을 위로 향하며 눈을 감고서,

"어머니."

하고 저도 모르게 말했다.

어머니는 구석에 있는 책상에 기대어 책을 읽고 계셨는데,

"응?"

하고 무슨 일이냐는 듯 대답하셨다.

나는 당황하여 기이하게 큰 소리로,

"드디어 장미가 피었네요. 어머니, 알고 계셨어요? 전 지금 알았어요. 예쁘게 피었어요."

툇마루 바로 앞에 있는 장미. 그것은 예전에 외삼촌이 프랑스인지 영국인지 잊어버렸지만 아무튼 머나먼 이국땅에서 가져온 장미였는데, 두어 달 전에 외삼촌이 이곳 정원에 옮겨 심은 장미였다. 오늘 아침 그것이 겨우 하나 피었던 것을 잘 알고 있었지만 쑥스러움을 감추고자 지금 막 본 것처럼 과장해서 재잘거렸던 것이다. 꽃은 짙은 보랏빛이었고 오만하면서도 강인하고 늠름한 모습을 뽐냈다.

"알아요."

라고 어머니는 조곤조곤 말씀하시며,

"그런 걸 굉장히 중요한 일로 생각하나 보구나."

"그럴지도 몰라요. 이상한가요?"

"아니, 네게 그런 성향이 있다고 말한 것뿐이야. 멋대로 성냥갑에 달 그림을 붙이거나 인형의 행커치프Handkerchief를 만들어 보는 걸 좋아하잖니. 거기다 정원의 장미 같은 것도 네 말을 듣고 있으면 마치 살아 있는 사람처럼 표현하는 것 같아."

"아이가 없으니까요."

그야말로 생각지도 못한 말이 불쑥 입에서 튀어나왔다. 말하고 나서 화들짝 놀라 거북스러운 마음으로 무릎에 있던 물건을 만지작거렸더니,

[스물아홉이니까.]

그렇게 말하는 남자의 목소리가 전화에서 들리는 듯한, 간질거리는 바리톤이 선명하게 들린 것 같아서 나는 수치스러운 마음으로 볼이 타들어 가는 것처럼 뜨거워졌다.

어머니는 아무 말 없이 다시 책을 읽으셨다. 어머니는 최근 거즈 마스크를 착용하고 있었고 그 탓인지 요즘 부쩍 말수가 적어지셨다. 그 마스크는 나오지의 말을 듣고 쓰고 계신 것이다. 나오지는 십일 정도 전에 남쪽 섬에서 검푸른 얼굴로 돌

아왔다.

아무런 전조도 없이 여름 황혼 무렵 나무로 된 뒷문에서 정원으로 들어오더니,

"와아, 심하네. 형편없는 집이다. 라이라이켄来々軒[16]. 딤섬 팝니다. 이런 명패라도 붙이면 딱이겠군."

그것이 나와 처음으로 얼굴을 마주했던 나오지의 인사였다.

이삼일 전부터 어머니는 혀에 병이 나서 누워 계셨다. 외견은 아무 변화도 없지만 움직이면 혀끝이 너무 아프다고 하시며 식사도 묽은 죽만 드셨고 의사에게 진찰을 받아 보면 어떻겠냐고 말씀드려도 고개를 저으시며,

"비웃음을 당할 거예요."

라고 서글프게 웃으며 말씀하셨다. 루골액[17]을 발라 드렸지만 효과가 전혀 없는 것 같아서 나는 묘하게 초조해져 있었다.

그때 나오지가 귀환한 것이다.

나오지는 어머니의 머리맡에 앉아서 "다녀왔어요."라고 인사한 후 곧장 일어나서 작은 집안을 여기저기 둘러보았고 내

---

16) '라이라이'는 중국어로 어서오세요. '켄'은 일본어로 레스토랑이라는 뜻.
17) 유아도 쉽게 사용할 수 있게 단맛이 나는 물약. 인후, 구강 내 염증에 효과가 있는데 목에 감염된 병원균을 살균하고 염증을 완화해주는 효능이 있는 약.

가 그 뒤를 따라 다니며,

"어때? 어머니는. 변했어?"

"많이 변했지. 수척해졌어. 빨리 가시면 좋지. 이런 세상에 엄마 같은 사람은 쉬이 살아갈 수 없으니까. 너무 비참해서 눈 뜨고 보고 있을 수가 없어."

"나는?"

"천해졌어. 남자가 두엇은 있을 법한 면상이네. 술은? 오늘 밤은 마시자."

난 이 촌락에 하나밖에 없는 여관에 가서 오사키 씨에게 동생이 돌아왔으니 술을 조금 나눠달라고 부탁해 보았지만, 오사키 씨는 아쉽게도 지금 다 떨어졌다고 했기에 집에 돌아와 나오지에게 그렇게 전했더니 나오지는 본 적 없는 타인 같은 표정으로 "칫, 교섭을 못 하니까 그래."라고 하며 내게 여관 위치를 묻더니 니와게타庭下駄[18]를 적당히 끌고서 밖으로 뛰쳐나간 후 아무리 기다려도 돌아오지 않았다. 나오지가 좋아했던 구운 사과와 달걀 요리들을 준비하면서 부엌 전구가 밝아지는 것과 정반대로 상당 시간을 기다린 끝에 오사키 씨가 부엌문에서 얼굴을 훌쩍 내밀더니,

"저기요. 계신가요. 소주를 먹고 계신데요."

---

18) 뜰에서 신는 일본 나막신.

라고 잉어 같은 특유의 땡그란 눈을 더욱 크게 뜨며 큰일이라도 난 것처럼 낮은 목소리로 말씀하셨다.

"소주라니. 저기, 메틸인가요?"

"아뇨, 메틸이 아니에요."

"마셔도 병은 안 나겠죠?"

"네, 그렇지만……."

"마시도록 두세요."

오사키 씨는 한껏 긴장한 것처럼 고개를 끄덕이더니 돌아갔다.

나는 어머니께 가서,

"오사키 씨 댁에서 마시고 있대요."

라고 말씀드렸더니 어머니는 조금 입가를 비틀며 웃으시더니,

"그래. 아편은 관뒀나 모르겠구나. 식사부터 하자. 그러고 나서 오늘 밤은 셋이서 이 방에서 함께 자야지. 나오지의 이불을 중간에 깔고."

나는 울고 싶은 마음이었다.

나오지는 밤늦게 거친 발소리를 내며 돌아왔다. 우리는 한 방에 모여 하나의 모기장에 들어가서 잠들었다.

"남쪽에서 있었던 일을 어머니께 말씀드리는 건 어때?"

라고 내가 누워서 말하자,

"아무것도 없어. 아무것도 없다고. 잊어버렸어. 일본에 도착해서 기차를 타고 열차 창문으로 보이는 논이 멋지고 아름다웠어. 그것밖에 없어. 불 좀 꺼. 못 자겠잖아."

나는 불을 껐다. 모기장 안에 여름철 달빛이 홍수처럼 충만했다.

다음 날 아침 나오지는 잠자리에 배를 대고 누운 상태로 담배를 피우면서 먼바다를 바라보며,

"혀가 아프다며?"

라고 어머니의 몸 상태가 좋지 않은 것을 이제야 알았다는 말투로 말했다.

어머니는 그저 은은하게 웃으셨다.

"그건 분명 심리적인 거야. 밤에 입을 벌리고 자잖아. 칠칠찮게. 마스크를 해요. 거즈에 리바놀 용액이라도 적셔서 그걸 마스크 안에 넣어둬요."

나는 그 말을 듣고 웃음을 터뜨리며,

"그건 무슨 치료법이니?"

"미학 치료법이라고 해."

"하지만 어머니는 마스크 같은 건 분명 거추장스러워하실 거야."

어머니는 마스크뿐만 아니라 안대와 안경같이 얼굴에 착용하는 것을 굉장히 꺼리셨다.

"저기요, 어머니. 마스크 하실래요?"

라고 내가 여쭤봤더니,

"할게."

라고 진지하고 낮게 대답하셨기에 나는 깜짝 놀랐다. 나오지의 말이라면 뭐든 믿고 따르겠다고 생각하신 것 같았다.

내가 아침 식사 후에 조금 전 나오지가 말한 대로 거즈에 리바놀 용액을 묻혀 마스크를 만들어 어머니께 가져갔더니, 어머니는 묵묵히 받으시고는 누운 채로 마스크 끝을 양쪽 귀에 순순히 거셨는데 그 모습이 마치 어린 계집아이 같아서 내게는 슬픈 느낌을 자아냈다.

오후가 지나서 나오지는 도쿄에 사는 친구와 문학 쪽 스승님을 만나야 한다고 하며 양복으로 갈아입고, 어머니께 이천 엔을 받아 도쿄로 외출했다. 그 후로 열흘 가까이 지났지만 나오지는 돌아오지 않았다. 어머니는 매일 마스크를 착용하시고서 나오지를 기다리신다.

"리바놀은 좋은 약이네. 이 마스크를 하고 있으면 혀의 아픔이 가셔요."

라고 웃으며 말씀하셨지만 어쩐지 거짓말을 하고 계시는 것만 같았다. 이제 괜찮다고 말씀하시며 지금은 일어나 계시지만 식욕이 없는 건 여전했고 말수도 극히 적은 게 너무나도 마음에 걸렸지만, 나오지는 도쿄에서 뭘 하고 있을지, 우에하라上原 씨 같은 소설가와 함께 도쿄 전역을 놀러 다니며 도쿄의 광기 어린 소용돌이에 휘말린 게 틀림없다는 생각이 들수록 힘들고 괴로워지며, 느닷없이 어머니께 장미에 대해 알리고 아이가 없으니까 그런다고, 자신도 예상치 못하게 실언한 끝에 결과적으로 수습할 수 없게 되어,

"아."

라는 단말마와 함께 일어났지만 그렇다고 갈 곳도 없었고, 내 몸 하나를 주체하지 못하고 정처 없이 계단을 올라가 이층 방에 들어가 보았다.

이곳은 이번에 나오지의 방이 될 예정이었고, 사나흘 전에 내가 어머니와 의논하여 농가의 나카이 씨에게 도움을 요청하여 나오지의 의류 서랍장과 책상, 책장 그리고 장서와 노트 따위를 가득 채운 나무 상자 대여섯 개를, 일단 예전에 니시카타초 집에서 나오지 방에 있던 것을 전부 여기로 옮겨두고 나오지가 도쿄에서 돌아오면 그가 좋아하는 위치에 책궤 같은 걸 각각 배치하기로 하고, 그때까지 잡다하게 이곳에 방치해 두는 편이 좋을 것 같았기에 더는 발 디딜 틈이 없을 정도로

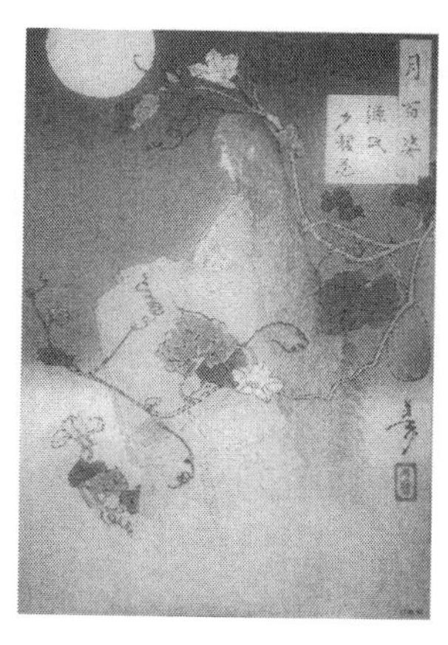

우키요에 겐지모노가타리
'유가오(박꽃)'

어질러둔 상태였고, 나는 별생각 없이 발밑의 나무 상자에서 나오지의 노트를 한 권 꺼내어 봤더니 그 노트 표지에는,

박꽃일지

라고 적혀 있었으며 거기에는 다음과 같은 내용이 빼곡하게 적혀 있었다. 나오지가 마약 중독으로 괴로워하던 시기에 적은 수기 같았다.

불타는 듯한 마음. 괴로워도 괴롭다는 한마디, 짤막한 구절 외치지 못하고, 미증유未曾有의 세상이 시작된 이래, 바닥이 보이지 않는 전례 없는 지옥의 존재를 눈속임하고 있으니.

사상? 거짓이다. 주의? 거짓이다. 이상? 거짓이다. 질서? 거짓이다. 성실? 진리? 순수? 모두 거짓이다. 우시지마노후지牛島の藤[19]는 나이가 천년, 유야노후지熊野の藤는 수백 년이라고

---

19) 사이타마현 가스가베시 우시지마에 있는 등나무 거목을 말한다. 국가 특별 천연기념물이고 수령樹齡이 천이백여 년인 아름다운 등나무 시령을 자랑하여 매년 4~5월의 개화 시기에 개원하는 것으로 유명.

일컬어지고, 꽃이삭도 전자는 최장 9척[20], 후자는 5척 남짓이라고 하는데 그저 꽃이삭에만 마음이 요동친다.

저것도 인간의 아이. 살아 있다.

논리는 결국 논리에 대한 사랑이다. 살아 있는 인간에 대한 사랑은 아니다.

돈과 여자. 논리는 수줍게 총총히 사라져 간다.

역사, 철학, 교육, 종교, 법률, 정치, 경제, 사회 같은 학문보다 한 소녀의 미소가 존귀하다고 한 파우스트 박사의 용감한 실증.

학문이란 허영의 다른 이름이다. 인간이 인간이 아니고자 하는 노력이다.

괴테 역시 단연코 말했다. 나는 얼마든지 능숙하게 쓸 수 있습니다. 어떤 구성의 오류 없이 적절한 해학, 독자의 시야 이면을 불태우는 비애 혹은 숙연하게 옷매무새를 다듬고서 완벽한 소설을 밝고 힘차게 음독하면 이거야말로 '스크린의 설명이냐며 창피해서 쓰겠느냐'고 한다. 어떤가, 그런 걸작 의식이 쪼잔하다고 한다. 소설을 읽고 옷매무새를 다듬는다니 광인의 행위다. 그렇게 할 것이라면 하오리하카마羽織袴[21]로 해야

20) 1척은 약 30cm.

만 하지 않겠는가. 좋은 작품일수록 점잔 빼지 않는 것 같은데. 나는 마음에서 우러나오는 듯한 친구의 즐거운 미소를 보고 싶을 뿐이며, 한 편의 소설에서 일부러 오류를 범하고 어설프게 쓰며 엉덩방아를 찧으면서 머리를 긁적이며 회피한다. 아아, 그때의 즐거워 보이는 친구의 얼굴이란!

문장과 사람에 있지 않은 풍정, 장난감 나팔을 부는 것으로, '여기에 일본 제일의 바보가 있습니다. 당신은 아직 괜찮은 편입니다. 건재하십시오!'라는 뜻을 담은 애정은, 이것은 대체 무엇일까요?

친구는 의기양양한 표정으로 "저것이 놈의 나쁜 버릇, 아깝다."라고 술회. 사랑받고 있다는 걸 모른다.

불량하지 않은 인간이 있긴 한가.

석연찮은 마음.

돈이 필요해.

그렇지 않으면,

자면서 자연사!

약국에 천엔 가까이 빚이 있다. 오늘 전당포 주인을 몰래

---

21) 에도 시대 무사의 예복. 현대에는 일본식 결혼식에서 남성이 입는 기모노.

내 방으로 불러서 “이 방에서 전당물이 될 만한 게 있다면 가져가라. 화급하게 돈이 필요하다.”라고 말했더니 제대로 방안을 둘러보지도 않고서 “관두시게. 당신의 것도 아니면서.”라고 지껄였다. “좋소. 그렇다면 지금까지 내 돈으로 산 물건만 가지고 가시게.”라고 위세 좋게 말했고, 긁어모은 잡동사니, 전당물의 자격이 되는 물건 하나 없네.

먼저 한 손 석고상. 이것은 비너스의 오른손. 다이아몬드의 꽃과 닮은 한쪽 손, 새하얀 손, 그것이 그저 받침대 위에 놓여 있는 것이다. 그러나 이것을 잘 보면 남자의 시선에 노출된 전라의 비너스가 화들짝 놀란 수치심, 비참한 나체, 옅은 홍조, 숨길 수 없는 화끈거리는 열감, 육체를 비비 꼬는 손짓, 손끝에 지문도 없고, 손바닥에 한 줄기의 손금도 찾아볼 수 없는 순백의 가녀린 이 오른손에 의하여, 숨이 막힐 만큼 나신에 대한 비너스의 수치감이, 그녀가 우리의 가슴마저 괴로워질 정도로 가여운 표정을 짓고 있다는 것을 알 수 있을 것이다. 그러나 이것은 이른바 비실용적인 잡동사니. 전당포 주인 50전[22]이라는 값을 매긴다.

그 외에 파리 근교의 큰 지도, 지름이 한 뼘에 가까운 셀룰로이드 팽이, 실보다도 얇은 글자로 필기가 가능한 특제 펜

22) 1전은 1엔의 100분의 1에 해당한다.

촉, 이 모두가 가치 있다는 생각으로 산 물건이었으나 전당포 주인은 웃으며 "이제 가 보겠습니다." 하고 말한다. 기다리라고 제지하였고 다시 산더미 같은 책을 그에게 떠넘기며 5엔을 받았다. 책장에 꽂힌 책은 대부분 염가의 문고판으로만 채워둔 것인데, 고서점에서 사들일 때는 이처럼 값어치가 낮은 것이었다.

천 엔이라는 빚을 해결하려고 하였으나 5엔뿐. 세상에서의 내 실력 대략 이와 같으니. 웃을 일이 아니다.

데카당Décadent[23)]? 그러나 이렇게라도 하지 않으면 살아남을 수 없다. 그런 말을 하며 날 비난하는 사람보다는 죽으라고 말해주는 사람이 더 고맙다. 깔끔하다. 그러나 인간은 좀체 죽으라고 말하지 않는다. 인색하고 경계심 많은 위선자 놈들.

정의? 이른바 계급 투쟁의 본질은 그런 것에 있지 않다. 인간의 도리? 웃기는 소리다. 나는 알고 있지. 우리의 행복을 위해 상대방을 쓰러뜨리는 일이다. 죽이는 일이다. 죽으라는 선고가 아니라면 그게 뭐란 말인가. 속이지 말지어다.

그러나 우리의 계급에도 제대로 된 놈이 없다. 백치, 유령,

---

23) 퇴폐적. 특히, 문화사에서는 19세기 말 기독교적인 기성 가치관에 회의적이고 예술지상주의적인 입장을 가진 일파에 대해 사용한다.

수전노, 미친개, 허풍선이이오[24], 구름 위에서 소변.

죽으라는 말조차 아깝다.

전쟁. 일본의 전쟁은 자포자기다.

자포자기에 휘말려 죽는 건 싫다. 이럴 바에야 혼자 죽고 싶다.

인간은 거짓말할 때는 반드시 진지한 표정을 짓는다. 요즘 지도자들의 저 진지함. 푸훗!

남들에게 존경받겠다고 생각지 않는 사람들과 어울리고 싶다.

그러나 그런 좋은 사람들은 나와 어울려 주지 않는다.

내가 조숙함을 가장하면 사람들은 조숙하다며 수군거린다. 내가 게으름뱅이 흉내를 내면 사람들은 게으름뱅이라며 수군댄다. 내가 소설을 쓰지 못하는 체하면 사람들은 글을 못 쓴다고 수군거린다. 내가 거짓말쟁이인 척을 하면 사람들은 거짓말쟁이라고 수군댄다. 내가 부자인 척을 하면 사람들은 부

24) 선착장에서 사용하던 어미.

자라고 수군거린다. 내가 냉담함을 가장하면 사람들은 냉담한 놈이라고 수군댄다. 그러나 내가 정말로 괴로워서 저도 모르게 신음을 흘렸을 때 사람들은 내가 괴로운 척을 꾸며댄다고 헐뜯었다.

이렇듯 어긋난다.

결국 자살하는 것 외에 방도가 없지 않은가.

이렇게 괴로워해도 그저 자살로 끝날 뿐이라고 생각했더니 소리 내어 울 수밖에 없었다.

봄날 아침 두어 송이의 꽃이 흐드러지게 핀 매화 나뭇가지에 아침 햇살이 비치며 고풍스러운 하이델베르크의 젊은 학생이 그 나뭇가지처럼 앙상하게 목매달아 죽었다고 한다.

"엄마! 날 혼내 주세요!"

"어떤 식으로?"

"겁쟁이! 라고."

"그래? 겁쟁이. ......이제 됐나요?"

엄마에겐 비길 데 없는 장점이 있다. 엄마를 생각하면 울고 싶어진다. 엄마에게 사죄하기 위해서라도 죽자.

용서하십시오. 이번 한 번만, 용서하십시오.

오늘도

눈도 뜨지 못한

악재기[25)]

성장과 생활이란

오동통하지만 가련하구나.   (첫해 시작품)

모르핀 아트로핀 아편 판토폰[26)] 판오핀[27)] 아트로핀[28)]

프라이드란 무엇인가, 프라이드란.

인간은 아니, 남자는 (나는 우수하다), (내게는 장점이 있다)와 같이 생각하지 않으며 살아간다는 것은 정령 불가능하단 말인가.

인간을 싫어하고 인간에게 미움받는다.

지혜 겨루기.

---

25) 학의 새끼를 이르는 말.
26) 마약성 진통제.
27) 아편 알칼로이드 약제.
28) 부교감신경 차단제 계열의 약제.

엄숙=바보

아무튼 말이지, 살아 있으니까. 속임수를 쓰고 있는 게 분명해.

어느 차용 신청서 편지.

[답신을.

답신을 주십시오. ……

그리고 그것이 반드시 낭보이기를.

저는 여러 굴욕을 예기하며 홀로 앓고 있습니다.

연기하고 있는 게 아닙니다. 결단코 그렇지 않습니다.

부탁드립니다.

저는 수치 때문에 죽을 것 같습니다.

과장이 아닙니다.

매일매일 답신을 기다리며 밤낮 할 것 없이 떨고 있습니다.

제게 씁쓸함을 안겨주지 마시길.

벽에서 소리 죽인 웃음소리가 들려서 심야 잠자리에서 전전긍긍하고 있습니다.

절 수치스럽게 만들지 마세요.

누님!]

여기까지 읽은 나는 박꽃일지를 덮은 후 나무 상자에 돌려 놓고 나서 창문으로 걸어가 문을 활짝 열어 하얀 비로 인해 뿌옇게 변한 정원을 내려다보면서 당시의 일을 생각했다.

그로부터 벌써 여섯 해가 지났다. 나오지의 마약 중독이 내 이혼의 원인이 되었다. 아니, 그렇게 말해선 안 된다. 내 이혼은 나오지의 마약 중독이 없었더라도 다른 계기로 언젠가는 일어날 일이었고, 내가 태어났을 때부터 그렇게 정해져 있던 것 같은 기분도 든다. 나오지는 약값을 지불하기 힘들어진 나머지 내게 얼마간 돈을 보챘다. 나는 시집간 지 얼마 되지 않았기에 돈 같은 건 쉽사리 융통할 수 있을 리도 없었고, 시집간 곳의 돈을 고향 동생에게 몰래 융통하는 건 좋지 못한 일로 생각되었기에, 고향에서 함께 따라온 할멈 오세키 씨와 의논하여 내 팔찌나 목걸이, 드레스를 팔았다. 동생은 내게 돈을 달라는 편지를 보내고는 [지금은 괴롭고 수치스러워서 누님 얼굴을 뵈는 것이나 전화 통화를 하는 건 불가능하니 돈은 오세키에게 분부하여 교바시京橋의 X시 X초메의 카야노 아파트에 사는, 누님도 이름은 알고 있을 터인 소설가 우에하라 지로上原二郎 씨 댁에 보내주세요. 우에하라 씨는 악덕한 사람인 것처럼 세상에서 비판받고 있지만 결코 그런 사람이 아니니까 안심하고 돈을 우에하라 씨 댁으로 보내주십시오. 그러면 우에하라 씨가 곧장 내게 전화로 알려줄 거라고 했으니 꼭 좀 그렇게 부탁합니다. 저는 이번 중독 사실을 엄마에겐 알리고 싶지 않습니다. 엄마가 모르는 동안 어떻게 해서든 이 중독을 고칠 참입니다. 이번에 누님에게 돈을 받으면 그걸로 약국 빚을 전부 청산하고 시오바라塩原 별장에라도 가서 건강한 몸으로 돌아올 참입니다. 정말입니다. 약국 빚을 전부 갚으면 저는 그날부터 마약에서 손을 털 생각입니다. 하느님께 맹세합니다. 믿어주세요. 엄마에겐 비밀로 오세키에게 일러 카야노 아파트의 우에하라 씨에게, 부탁합니다]라는 내용이 그 편지에 적혀 있었고 나는 편지에 적힌 대로 오세키에게 돈을 맡겨 우에하라 씨의 아파트에 몰래 전달하도록 하였지만, 동생의 편지에 적힌 맹세는 항상 거짓말이었고, 시오바라의 별장에도 가지 않고 마약 중독은 점점 더 심해져만 갈 뿐이었으며, 돈을 보채는 편지의 문장이 비명에 가까운 고통스러운 어조였고 이번에야말로 약을 끊겠다고 얼굴을 돌리고 싶어질 정도로 애절한 맹세를 하기에, 이번에도 거짓말일지도 모르겠다고 생각하면서도 또다시 브로치 따위를 오세키 씨를 통해 팔아서 그 돈을 우에하라 씨의 아파트에 전달했다.

“우에하라 씨는 어떤 분이에요?”

“몸집이 작고 얼굴색이 안 좋은 무뚝뚝한 사람입니다.”

라고 오세키 씨는 대답했다.

“하지만 아파트에 계시는 경우는 좀체 없습니다. 대체로 부인과 여섯 일곱 된 따님, 그렇게 둘이서 계시죠. 부인은 그다지 아름답지 않았지만 상냥하고 좋은 분인 것 같습니다. 그 부인이라면 안심하고 돈을 맡길 수 있습니다.”

곤가스리

당시의 나는 지금에 비하면 아뇨, 비교하고도 말고도 할 것 없이 전혀 다른 사람처럼 어수룩하고 태평한 사람이었지만, 그런데도 이런 일이 계속 반복되기도 했고 서서히 고액의 돈을 요구했기에 너무나 걱정이 되어서 하루는 노能 연극[29] 관람 후 귀갓길에 긴자에서 자동차를 돌려보내고 혼자 걸어서 교바시의 카야노 아파트를 찾아갔다.

우에하라 씨는 방에서 홀로 신문을 읽고 계셨다. 그는 줄무늬 아와세袷[30]에 곤가스리紺絣[31] 겉옷을 걸치고, 노인인 것 같

---

29) 역사적 사건이나 이야기 등의 문학 작품을 소재로 하며, 노래와 춤을 중심으로 진행되는 가무극이다. 망령, 귀신 그리고 여성 등 주인공들은 노 가면이라고 하는, 세계에서도 유례없이 섬세한 가면과 아름답고 화려한 의상을 착용하는 것이 특징이다.

30) 10월부터 5월까지 1년 중 가장 긴 기간 동안 입을 수 있는 기모노 종

으면서도 젊은이 같기도 한, 여태껏 본 적 없는 기묘한 야수 같다는 괴이한 첫인상을 주었다.

"아내는 지금, 아이와, 함께, 배급물을 받으러."

조금 콧소리가 섞인 소리로 말을 끊으며 말씀하셨다. 나를 부인의 친구라고 착각한 것 같았다. 내가 나오지의 누나라는 것을 말씀드렸더니 우에하라 씨는 '흥' 하며 웃었다. 나는 어째선지 섬뜩했다.

"나갈까요?"

그렇게 말하고 순식간에 인버네스 코트Inverness Coat를 걸치더니 신발장에서 새 나막신을 꺼내어 신고는 발 빠르게 아파트의 복도를 앞장서서 걸어가셨다.

밖은 초겨울 해 질 무렵. 바람이 차가웠다. 스미다가와隅田川에서 불어오는 강바람 같았다. 우에하라 씨는 그 바람을 거스르는 것처럼 오른쪽 어깨를 조금 올리고 츠키지築地 쪽으로 묵묵히 발걸음을 옮겼다. 나는 종종걸음으로 달리면서 그 뒤를 따랐다.

도쿄 극장 뒤편에 있는 빌딩 지하실에 들어갔다. 네다섯의 손님들이 20조[32] 정도의 가늘고 긴 방에서 각각 식탁을 두고

류.

31) 감색 바탕에 흰색 무늬를 직조한 직물 또는 그 무늬.

32) 1조 약 $1.8m^2$

묵묵히 술을 마시고 있었다.

우에하라 씨는 컵으로 술을 마셨다. 그리고 내게도 컵을 주더니 술을 권했다. 나는 그 컵으로 두 잔 마셨지만 아무렇지도 않았다.

우에하라 씨는 술을 마시고 담배를 피웠지만 계속 말씀이 없으셨다. 나도 아무 말도 하지 않았다. 이런 곳에 온 것은 태어나서 처음이었지만 너무나 편하고 기분이 좋았다.

"술이라도 마시면 좋겠는데."

"네?"

"아뇨, 동생 이야기. 알코올로 전환하는 편이 좋지요. 저도 예전에 마약에 중독된 적이 있어서요. 그건 남들이 조금 기분 나빠해서요. 알코올도 비슷한 거지만 그건 의외로 남들이 용납하죠. 동생을 술꾼으로 만듭시다. 아시겠습니까?"

"언젠가 주당을 한 번 본 적이 있어요. 신년에 제가 외출하려고 했을 때 우리 운전사의 지인이 자동차 조수석에서 악마처럼 새빨간 얼굴로 커다란 소리로 코를 골며 자고 있었거든요. 제가 놀라서 비명을 내질렀더니 운전사가 이놈은 술꾼이라 처치 곤란이라고 하면서 자동차에서 끌어 내려 어깨에 짊어지고 어딘가로 데리고 갔어요. 뼈가 없는 것처럼 추욱 늘어져 있었는데 그 와중에 무슨 말을 웅얼거리면서 말이에요. 전 그때 처음으로 술꾼이라는 걸 목격했는데 재미있었답니다."

"저도 술꾼입니다."

"어머, 하지만 아니시죠?"

"당신도 술꾼입니다."

"그렇지 않아요. 전 술꾼을 본 적이 있는걸요. 전혀 달라요."

우에하라 씨는 처음으로 즐겁다는 듯이 웃으며,

"술꾼이 될 수 있을지 알 수는 없지만 동생도 일단 술을 마시는 사람이 되는 편이 낫죠. 돌아갑시다. 지체하기 싫죠?"

"아뇨, 괜찮습니다."

"아뇨, 실은 이쪽이 힘들어서 안 되겠어. 이모님! 여기 계산!"

"많이 비싼가요. 조금이지만 보탤까요?"

"그렇지. 그렇다면 계산은 당신이."

"부족할지도 몰라요."

나는 가방 안을 살펴보며 우에하라 씨에게 액수를 알렸다.

"그 정도 있으면 두어 집에서 마실 수 있지. 바보 같은 소릴 해 쌌네."

우에하라 씨는 얼굴을 찌푸리며 말한 후 웃으셨다.

"어디에, 또 마시러 가는 거예요?"

라고 여쭤봤더니 진지하게 고개를 저으며,

"아니, 이걸로 충분. 택시를 잡아줄 테니 돌아가시오."

우리는 어두운 지하 계단을 올라갔다. 한발 앞서 올라간 우에하라 씨가 계단 중반쯤에서 나를 향해 몸을 돌리더니 재빠르게 키스했다. 나는 입술을 굳게 다물고선 그것을 받았다.

우에하라 씨를 별달리 좋아하는 마음도 없었는데 그런데도 그때부터 내게는 '비밀'이 생기고 말았던 것이다. 우에하라 씨는 달려서 계단을 올라갔고 나는 신비롭고 투명한 기분으로 천천히 올라가서 바깥으로 나갔더니 볼에 닿는 강바람이 정말이지 기분 좋았다.

우에하라 씨는 택시를 잡아주었고 우리는 아무 말 없이 헤어졌다.

차에 앉아서 갑작스레 세상이 바다처럼 넓어진 것 같은 기분에 휩싸였다.

"내겐 사랑하는 사람이 있는걸."

어느 날 남편에게 꾸중을 듣고 서글퍼져서 문득 그렇게 말했다.

"알고 있습니다. 호소다죠? 아무래도 정리가 안 됩니까?"

더는 아무 말도 하지 않았다.

거북스러운 일이 생길 때마다 그 문제가 우리 부부 사이에

등장했다. 더는 안 되겠다고 나는 생각했다. 드레스의 원단을 잘못 자른 것처럼 기존 천은 꿰맬 수도 없으니 전부 버리고 다시 새로운 원단을 재단해야만 한다.

"설마 그 뱃속 아이는."

하고 어느 날 밤 남편에게 이런 말을 들었을 때, 나는 너무나도 두려운 나머지 바들바들 떨었다. 지금 생각하면 나도 남편도 젊었다. 나는 연애 감정에 무지했고 사랑조차 몰랐다. 나는 호소다 님이 그린 그림에 매료되어 '그런 분의 아내가 된다면 얼마나 좋을까. 아무튼 아름다운 일상생활을 보낼 수 있겠지. 저런 멋진 취미를 가진 분과 결혼하지 않는다면 결혼 같은 건 무의미해.'라고 남들에게 떠벌리고 다녔기에 그 탓에 모두에게 오해를 받았고, 연심이나 사랑도 모르면서 막무가내로 호소다 님을 좋아한다고 공언하였으며 철회하지도 않았기에 이상하게 엮여서, 당시 내 뱃속에 잠들어 있던 작은 아기까지 남편에 대한 의혹의 표적이 되어 누구 하나 이혼 따위를 노골적으로 언급하지 않았음에도 어느샌가 주위가 불쾌해지며, 나는 오세키 씨와 함께 어머니가 계신 고향으로 돌아갔다. 그 후 아기가 죽어서 태어났고 나는 병들어 드러눕고 그걸로 야마키와 인연이 끊어진 것이다.

나오지는 내가 이혼했다는 사실에 책임 같은 것을 느낀 것인지, “나는 죽을 거야.” 하고 악을 쓰며 얼굴이 썩어버릴 것처럼 울었다. 동생에게 약국의 빚에 관해 물어보았더니 굉장한 금액이었다. 게다가 동생이 실제 금액을 말하지 못하고 거짓말하고 있었다는 것을 나중에 알았다. 나중에 판명이 난 실제 금액은 그때 동생이 내게 알려준 금액의 세 배에 가까웠다.

“우에하라 씨를 만났어. 좋은 분이네. 앞으로 우에하라 씨와 함께 술을 마시며 노는 건 어때? 술은 아주 싸지 않니. 술값 정도라면 얼마든지 보태줄 수 있어. 약국 빚도 걱정하지 마. 어떻게든 될 테니까.”

내가 우에하라 씨와 만나 그를 좋은 분이라고 말한 것이 동생을 상당히 기쁘게 만든 것 같았고, 동생은 그날 밤 내게서 돈을 받아 곧장 우에하라 씨에게 놀러 갔다.

어쩌면 중독은 정신의 병일지도 모르겠다. 내가 우에하라 씨를 칭찬하며 동생에게 그의 저서를 빌려 읽고 대단한 분이라고 찬사를 보내면, 동생은 누나 같은 사람은 이해하지 못한다고 하면서도 굉장히 기쁘다는 듯이 이걸 읽어 보라면서 그의 다른 저서를 내게 추천했고, 그러는 사이에 나도 우에하라 씨의 소설을 진심으로 읽게 되면서 둘이서 그를 화제로 대화하였으며, 동생은 매일 밤이라고 할 정도로 뻔질나게 우에하라 씨 댁에 위풍당당하게 놀러 갔고 그의 계획대로 점차 마약에서 알코올 쪽으로 전환해 가는 것 같았다. 약국 빚에 대해서 어머니께 조심스럽게 의논했더니 어머니는 한쪽 손으로 얼굴을 감싸시며 얼마간 가만히 계셨지만 이윽고 얼굴을 들고 서글픈 듯이 웃으시며 “고민하고 있어봤자 방도가 없네. 몇 년 걸릴지 모르지만 매달 조금씩이라도 갚아가죠.”라고 말씀하셨다.

그로부터 벌써 육 년이다.

박꽃. 아아, 동생도 참 젊었다. 게다가 앞날이 막혀 뭘 어떻게 해야 할지 감도 잡지 못하고 있겠지. 그저 매일 죽겠다는 생각으로 술을 마시고 있는 거겠지.

이럴 거면 차라리 마음을 단단히 먹고 진정한 무뢰배가 되면 어떨까. 그러면 도리어 동생도 편해지는 건 아닐까?

불량하지 않은 인간이 있긴 한가. 수첩에 적혀 있던 것처럼 생각해보니 나도 불량, 외삼촌도 불량, 어머니도 불량한 것처럼 여겨졌다. 불량하다는 건 상냥하다는 의미는 아닐까?

4

편지를 써볼까? 어떻게 할까? 상당히 고민했습니다. 하지만 오늘 아침 ‘비둘기처럼 솔직하게, 뱀처럼 슬기롭게’라고 하는 예수의 말을 문득 떠올렸더니 기묘하게 기운이 나서 편지를 보내기로 했습니다.

나오지의 누나입니다. 기억하고 계시나요? 잊으셨다면 기억을 되짚어 주세요. 나오지가 저번에 또 방문하여 신세를 많이 진 것 같아 참으로 죄송합니다.(그러나 사실 나오지의 일은, 그것은 나오지가 멋대로 한 것이고 제가 나서서 사죄하는 건 난센스라는 생각도 듭니다) 오늘은 나오지의 일이 아니라 제 일로 부탁이 있습니다. 교바시의 아파트에서 이재罹災를 당하시어 현재 주소로 옮기셨다는 걸 동생에게 들었습니다. 되도록 도쿄 교외에 있는 댁에 찾아뵙고 싶었으나 어머니가 최근 상태가 여의치 않아서 혼자 이곳에 내버려 두고 상경하는 것은 아무래도 힘들기에 편지로 말씀드립니다.

의논하고 싶은 일이 있습니다.

이번 상담은 '여대학女大學'[33]에 입각하면 상당히 교활하고 추잡스럽고 악질적인 범죄로 취급될지도 모르겠으나 그래도 저는 아뇨, 우리는 지금 이 상태로는 절대로 살아갈 수 없을 것 같기에 동생 나오지가 세상에서 가장 존경하는 것으로 보

33) 에도 중기 이후 널리 보급된 여성용 교훈서. 여기서 '대학'이란 사서오경 중 하나인 '대학'을 뜻함.

이는 당신께 저의 거짓 없는 마음을 전하고 지시를 부탁하고 싶습니다.

저는 현재 생활이 견디기 힘듭니다. 좋다 싫다 차원의 문제가 아니라 이대로는 도저히 우리 가족이 살아갈 수 있을 것 같지 않습니다.

어제도 고통스럽게 열이 나고 숨도 막히며 힘겨워하고 있었더니 오후가 조금 지나고 마을에 사는 농가의 아가씨가 비를 뚫고서 쌀을 짊어지고 찾아왔습니다. 우리 쪽에서는 약속대로 의류를 드렸습니다. 아가씨는 주방에서 우리와 마주 앉아 차를 마시면서 굉장히 현실감 있는 어조로,

"당신들, 물건을 팔아서 앞으로 어느 정도 생활할 수 있겠어요?"

라고 말했습니다.

"반년이나 일 년 정도."

라고 저는 대답했습니다. 그리고 오른손으로 얼굴을 절반 정도를 가리고서,

"졸리네요. 졸려서 못 견디겠어요."

라고 덧붙였습니다.

"지쳐 있는 거예요. 신경쇠약이죠."

"그렇겠죠."

눈물이 날 것 같은 제 마음속에 홀연히 리얼리즘이라는 말과 로맨티시즘이라는 말이 떠올랐습니다. 제게 리얼리즘은 없습니다. 이런 상태로 생존에 대해 생각했더니 전신에 소름이 돋았습니다. 어머니는 반쯤 병자처럼 자고 일어나실 뿐이고, 동생은 아시는 바와 같이 마음에 병이 든 중증의 병자이며, 집에 있을 때는 소주를 마시러 이 근방의 여관과 요릿집을 겸하는 집에 출근 도장을 찍고 있고, 삼 일에 한 번은 우리의 옷을 팔아 돈을 가지고 도쿄 방면으로 출장 갑니다. 그러나 괴로운 것은 이런 게 아닙니다. 저는 그저 이런 생활 환경에서 저 자신의 생명이 파초 잎이 지지 않고 썩어들어가는 것처럼, 우두커니 서서 자멸하는 것처럼 여실하게 예감하는 것이 두렵습니다. 도저히 견딜 수가 없습니다. 따라서 저는 '여대학'에서 금지한다고 할지라도 현재의 생활에서 벗어나고 싶습니다.

그래서 전 당신에게 상담하고 싶습니다.

저는 지금 어머니와 동생에게 확실하게 선언하고 싶습니다. 제가 전부터 어떤 분께 연심을 품고 있으며 장래 그분의 첩으로 살 작정이라는 것을 분명하게 밝히고 싶습니다. 그분은 당신도 분명 아실 겁니다. 그분의 이니셜은 M.C입니다. 저는 전부터 괴로운 일이 생기면 그가 있는 곳으로 날아가고 싶어서

애태우며 죽고 싶은 심정이었습니다.

M.C께는 당신처럼 부인과 자녀가 있습니다. 그리고 저보다 더 아름답고 젊은 여자 친구도 있는 것 같습니다. 그러나 저는 M.C께 가는 것 외에 살아갈 방도가 없는 것 같습니다. M.C의 부인을 아직 만나본 적은 없지만 굉장히 착하고 좋은 분이겠죠. 부인에 대하여 생각해보면 제가 무서운 여자인 것 같습니다. 그러나 제 현재 생활은 그 이상으로 무서운 것 같아서 M.C께 의지하지 않을 수 없습니다. 비둘기처럼 솔직하게, 뱀처럼 슬기롭게, 저는 제 연심을 성취하고 싶습니다. 하지만 분명 어머니와 동생도 그렇겠지만 세상 그 누구도 제 생각에 찬성하지 않겠죠. 당신은 어떻습니까? 결국 홀로 생각하고 행동하는 것 이외에 방법이 없다고 생각하면 눈물이 납니다. 태어나서 처음 겪는 일이니까요. 이 어려운 일을 주위 사람들에게 축복받으며 성취할 방법은 없는지, 굉장히 까다로운 대수代数의 인수분해 같은 문제의 답안을 생각하듯이 골똘히 생각에 잠기며, 어디 하나라도 술술 풀리는 실마리가 있을 법한 기분도 들어 갑작스레 활기를 되찾기도 합니다.

정작 중요한 건 M.C의 마음이겠죠. 그걸 생각하면 풀이 죽습니다. 저는 불청객, ……뭐라고 해야 할까요, 느닷없이 들이닥친 여자라고 해야 할지, 들이닥친 정부라고 해야 할지. 그런 걸까요? M.C 쪽에서 죽어도 싫다고 한다면 그걸로 끝. 따라서 부탁합니다. 부디 당신이 그분께 물어봐 주세요. 여섯 해 전 어느 날 제 가슴에 희미하고 가녀린 무지개가 생겼고 그것은 연심도 사랑도 아니었지만 세월이 지날수록 그 무지개는 선연하게 짙은 색채를 더해갔고, 저는 지금까지 한 번도 그것을 잃은 적이 없습니다. 소나기가 그친 하늘에 걸린 무지개는 이윽고 덧없이 사라지지만 사람의 가슴에 뜬 무지개는 쉽사리 사라지지 않는 것 같습니다. 부디 그분께 물어봐 주세요. 그분은 진정으로 저를 어떻게 생각하고 계실까요. 그야말로 비 갠 후 하늘에 뜬 무지개처럼 생각하고 계실까요. 아니면 진즉에 사라지고 만 것일까요.

후자라면 저도 제 무지개를 지워야만 합니다. 그러나 제 생명을 먼저 끄지 않으면 제 가슴 속 무지개는 사라질 것 같지 않습니다.

답신을 기다리겠습니다.

우에하라 지로 님(저의 체호프. 마이, 체호프. M.C).

추신. 저는 요즘 조금씩 살이 찝니다. 동물적인 여자가 되어 간다기보다 사람다워진 것 같습니다. 이번 여름에 로렌스의 소설을 하나 읽었습니다.

답신이 없었기에 재차 편지를 보냅니다. 저번에 보낸 편지는 너무나도 교활한 뱀 같은 간책奸策으로 넘쳐나고 있던 것을 하나하나 간파하셨겠죠. 실제로 저는 그 편지 한 줄 한 줄에 간특한 꾀를 드러냈습니다. 결론적으로 당신에게 제 생활을 도와주십사, 돈이 필요하다고 하는 의도만 담은 편지라고 생각하셨겠죠. 저도 그것을 부정하지 않겠지만 그저 저의 후원자가 필요했던 거라면 실례가 될지도 모르지만, 특별히 당신을 선택하여 부탁하지 않았을 겁니다. 절 많이 귀여워해 주시는 부잣집 노인에게 돈이 더 많으리라 생각합니다. 실제로 최근에도 묘한 혼담이 오갔습니다. 그분의 성함은 당신도 아실지 모르겠지만 육십이 넘은 독신 할아버지인데 예술원 같은 곳의 회원이라든가 뭐라든가, 그렇게 대단한 선생님이 절 아내로 맞이하겠다고 이곳에 찾아왔습니다. 이 선생님은 니시카타초 집 근처에 살고 있었기에 우리도 이웃이라는 인연으로 때때로 마주친 적이 있습니다. 언제였는지, 그건 가을 저녁 무렵이었던 걸로 기억하는데 저와 어머니 둘이서 자동차로 그 선생님의 집 앞을 지나갔을 때 그분이 망연하게 홀로 자택 문 옆에 서 계셨고, 어머니가 자동차 창문을 통해 살며시 고개 숙여 인사했더니 그 선생님의 까탈스러워 보이는 검푸른 얼굴이 갑작스레 단풍보다 붉어졌습니다.

"연정일까요."

전 까불거리며 말했습니다.

"어머니를 좋아하는 거죠."

하지만 어머니는 차분하게,

"아니, 대단한 분이지."

하고 혼잣말처럼 말씀하셨습니다. 예술가를 존경하는 것은 우리 집의 가풍 같은 것입니다.

그 선생님이 작년 부인을 잃으셨다고 하며 외삼촌과 콧대 높은 어느 귀족 가문을 통하여 어머니께 의사를 밝혔고, 어머니는 가즈코가 생각한 대답을 선생님께 직접 전하면 어떻겠냐고 말씀하셨습니다. 저는 깊게 생각할 여지도 없이 싫었기에 현재 결혼 의사가 없다는 것을 아무렇지도 않게 술술 적었습니다.

"거절해도 되겠죠?"

"그야 물론이지. ......나도 힘들 거라고 생각했어."

당시 선생님은 가루이자와軽井沢 별장에 계셨기에 그 별장으로 거절하겠다는 답장을 보냈더니 그로부터 이틀째에 편지와 엇갈려 선생님 본인이 이즈 온천에 일하러 온 와중에 잠시 들렀다며, 제 대답에 대한 건 아무것도 모르고 느닷없이 별장에 발걸음을 하셨던 것입니다. 예술가라는 건 몇 살이 되어도 아이처럼 자유분방한 것 같습니다.

어머니는 상태가 좋지 않았기에 제가 상대했고 중국풍 방에서 차를 대접하며,

"저도 진지하게 고민해 봤습니다만, 거절 편지가 지금쯤 가루이자와에 도착했을 것 같습니다."

하고 말씀드렸습니다.

"그렇습니까?"

라고 조급한 모습으로 말씀하며 땀을 닦으시더니,

"하지만 그건 다시 한번 잘 생각해 주십시오. 전 당신을, 뭐라고 하면 좋을지 표현하기 힘든데, 정신적인 행복을 드릴 수 없을지는 몰라도 물질적으로는 얼마든지 행복하게 해드릴 수 있습니다. 이것만은 단언할 수 있습니다. 탁 터놓고 하는 말이지만요."

"말씀하신 그 행복이라는 건 잘 모르겠네요. 건방진 말씀을 드리는 것 같아서 죄송합니다. 체호프가 아내에게 보낸 편지에 아이를 낳아줘, 우리의 아이를 낳아 달라고 적으셨지요. 니체인지의 에세이에도 아이를 함께 가지고픈 여성이라는 말이 있었지요. 전 아이를 낳고 싶어요. 행복 같은 그런 건 어찌 되든 좋은걸요. 돈도 필요하지만 아이를 기를 수 있을 만큼의 돈이 있다면 그걸로 충분합니다."

선생님은 이상한 미소를 지으시더니,

"당신은 진귀한 분이군요. 누구에게든 생각한 대로 말할 수 있는 사람이다. 당신 같은 분과 결혼하면 내 작업에도 새로운 영감이 강림할지도 모르겠군."

하고 나이에 걸맞지 않게 조금 언짢은 듯이 말씀하셨습니다. 만일 내 힘으로 이런 고명한 예술가의 작업이 회춘하는 일이 가능하다면 그것도 삶의 보람이 있는 일임이 분명하다고 생각하기도 했지만, 전 그 선생님에게 안기는 자신의 모습을 아무래도 상상할 수 없었습니다.

"제게 연정이 없어도 괜찮을까요?"

라고 저는 살며시 웃으며 여쭈었더니 선생님은 진지하게,

"여자는 그래도 됩니다. 여자는 어리어리하게 있으면 되니까요."

라고 말씀하셨다.

"하지만 저 같은 여자에게는 역시 연정이 없으면 결혼이란 생각할 수 없는 문제예요. 이제 내년에 서른이 되는 어른인걸요."

하고 말하며 생각지 않게 입을 틀어막고 싶은 기분이 들었습니다.

서른. 스물아홉까지의 여성에는 소녀의 향기가 남아 있다.

그러나 서른이 된 여자의 몸에는 어딜 찾아봐도 더는 소녀의 향기가 없다고 하는, 예전에 읽은 프랑스 소설 속 구절이 문득 떠올랐고, 가눌 길 없는 쓸쓸함에 휩싸여 바깥을 보았더니 대낮의 햇살을 받은 바다가 유리 파편처럼 강렬하게 빛나고 있었습니다. 그 소설을 읽었을 때는 단순히 그럴 것이라고 가볍게 긍정하고 무시했습니다. 서른 살이 되는 순간 여자의 생활은 끝난다고 아무렇지도 않게 생각하던 그때가 그립습니다. 팔찌, 목걸이, 드레스, 오비帯, 이러한 것들이 하나하나 내 몸의 주위에서 사라져 감에 따라 내 육체에 있던 소녀의 향기도 점차 흐릿해지고 옅어져 가는 거겠죠. 궁핍한 중년 여성이라니, 싫어라. 그러나 중년 여자의 생활에도 여자의 생활이란 것이 있더군요. 요즘 그걸 깨달았습니다. 영국 여교사가 본국으로 돌아갈 때 열아홉 먹은 제게 이렇게 말했던 걸 기억합니다.

"당신은 사랑을 해서는 안 됩니다. 사랑을 하면 당신은 불행해집니다. 사랑을 하겠다면 좀 더 나이를 먹고 나서 하십시오. 서른이 되고 하십시오."

그런 말을 들어도 저는 눈을 멀뚱멀뚱 뜨고 있을 뿐이었습니다. 서른이 되고 난 후의 일 따윈 당시의 저는 상상할 수 없었습니다.

"이 별장을 파신다고 하는 소문을 들었습니다만."

선생님은 짓궂은 표정으로 갑자기 그렇게 말씀하셨습니다.

저는 웃었습니다.

"죄송합니다. 벚꽃 동산[34]을 떠올리고 있었어요. 당신이 사주시는 거죠?"

선생님은 민감하게 제 의도를 파악한 것처럼 화난 듯이 입을 일그러뜨리며 아무 말도 하지 않았습니다.

어느 귀족의 거처로서 오십만 엔으로 이 집을 매매한다느니 하는 말이 나왔던 것도 사실이지만 그건 흐지부지되었고 그 소문도 선생님이 어디선가 듣고 오신 거겠죠. 그러나 벚꽃 동산의 로빠힌처럼 우리에게 대우받는 것은 말도 안 된다고, 완전히 기분이 상하신 모습이었고 그 후로 잡담을 조금 나누시고 돌아가셨습니다.

제가 지금 당신에게 원하고 있는 건 로빠힌이 아닙니다. 그건 단언할 수 있습니다. 그저 중년 여성의 대시를 받아주세요.

제가 처음으로 당신을 만난 것은 벌써 여섯 해나 예전 일입니다. 그때 저는 당신이라는 사람에 대하여 아무것도 몰랐습니다. 그저 동생의 선생님, 그것도 조금 질이 안 좋은 선생님,

---

34) 안톤 체호프 《벚꽃동산(Вишнёвый сад)》

그렇게 생각하고 있었습니다. 그 후 같은 컵으로 술을 마시고 당신은 조금 가벼운 장난을 치셨죠. 하지만 저는 별생각이 없었습니다. 그저 이상하게 몸이 가벼워진 것 같았습니다. 당신을 좋아하지도 싫어하지도, 정말 아무 생각도 없었습니다. 그러는 사이에 동생의 기분을 풀어주기 위해 당신의 저서를 동생에게 빌려서 읽었고 재미있기도 재미없기도 한 열정적인 애독자는 아니었지만 여섯 해 동안 어느 순간부터 당신이 안개처럼 제 가슴에 스며들었습니다. 그날 밤 지하실 계단에서 우리가 한 일도 갑자기 생생하고 선명하게 떠올리게 되었고, 어쩐지 그건 제 운명을 결정할 만큼 중대한 일이었던 것 같은 기분이 들어 당신이 그리워졌는데, 이것이 사랑일지도 모른다고 생각했더니 정말이지 마음이 놓이지 않고 혼자서 훌쩍이며 눈물을 흘렸습니다. 당신은 다른 남자들과 전혀 달았습니다. 저는 '갈매기[35]'의 니나처럼 작가를 사랑하고 있는 건 아닙니다. 저는 소설가 따위를 동경하고 있지 않습니다. 문학소녀 같은 부류로 생각하신다면 저도 당황스러울 것입니다. 전 당신의 아이를 원합니다.

당신이 아직 홀몸이었을 때, 저도 아직 야마키에 시집가지 않았을 때 만나서 결혼했더라면 저도 지금처럼 괴롭지 않았을

35) 안톤 체호프의 작품.

지도 모르겠지만, 저는 이제 당신과 결혼하는 건 불가능하다고 생각하여 단념했습니다. 당신의 부인을 밀어내다니, 그건 비열한 폭력 같아서 싫습니다. 저는 첩(이 말은 절대로 하고 싶지 않았지만 정부라고 해봤자 세상에서는 첩이라고 정의하니 분명하게 적습니다), 그것이래도 상관없습니다. 보통 세상에서 말하는 첩의 생활이란 많이 힘들다고 하더군요. 사람들 말로는, 첩은 쓸모가 없어지면 흔히들 버려진다고요. 육십 가까이 되면 모든 남성은 본처에게 돌아간다네요. 그러니 첩은 되지 말라고 니시카타초의 할아범과 유모가 서로 대화하는 것을 들은 기억이 있습니다. 하지만 그건 세상에서 말하는 첩을 일컫는 것이고 우리의 경우는 다른 것 같습니다. 당신에게도 가장 중요한 건 당신 본인의 일일 것이라고 예상합니다. 그리고 당신이 절 좋아한다면 둘이 사이좋게 지내는 것이 일을 위해서도 좋을 테죠. 그렇다면 당신의 부인도 우리 사이를 이해할 것입니다. 이상하고 억지스러운 논리인 것 같지만 제 생각은 어디도 잘못된 것 같지 않습니다.

문제는 당신의 대답입니다. 절 좋아하는지 싫어하는지 아니면 아무 감정도 없는지 하는 그 대답, 정말이지 두렵지만 여쭙지 않으면 안 됩니다. 저번 편지에도 저를 들이닥친 정부라고 적었고 이 편지에도 중년 여성의 대시라고 썼지만, 지금 다시 반추해 보니 당신에게서 답장이 없으면 전 불청객이 되려 해봐도 속수무책으로 홀로 넋을 잃고 수척해져 갈 뿐이겠죠. 역시 당신의 대답이 없으면 안 되었던 겁니다.

지금 문득 생각한 것인데, 당신은 소설에서 사랑의 모험 같은 일을 소재로 적고 세상에서도 극렬한 악한이라는 소문이 돌고 있는데, 사실은 상식적인 분이시죠. 저는 상식이라는 걸 모릅니다. 좋아하는 일을 할 수 있다면 그것이 좋은 생활이라고 생각합니다. 저는 당신의 아이를 낳고 싶습니다. 다른 사람의 아이는 무슨 일이 있어도 낳고 싶지 않습니다. 그래서 저는 당신에게 의논하는 겁니다. 제 뜻을 아셨다면 답장을 주세요. 당신의 마음을 명확하게 알려주세요.

날이 개고 바람이 불어옵니다. 현재 오후 세 시입니다. 그리고 일급 술(여섯 잔)을 배급받으러 나갑니다. 럼주 병 두 개를 자루에 넣고 가슴에 달린 주머니에 이 편지를 넣은 후 앞으로 십 분 정도 지나면 아랫마을로 외출합니다. 이 술은 동생에게 주지 않을 겁니다. 가즈코가 마실 거예요. 매일 밤 컵으로 한 잔씩 마실 겁니다. 술은 사실 컵으로 마시는 거지요.

이쪽에 한번 방문하지 않으시겠습니까?

M · C 님

오늘도 비가 왔습니다. 눈에 보이지 않는 듯한 안개비가 내리고 있습니다. 외출도 하지 않고 매일매일 답장을 기다리고 있는데도 결국 오늘까지 소식이 없었습니다. 대체 당신은 무슨 생각을 하고 계시는가요. 저번 편지에 그 선생님에 관한 일을 쓴 것이 좋지 않았던 걸까요. 결혼 상담에 대한 내용을 적어서 경쟁심을 부추기려 한다고 생각하셨을까요. 하지만 그 이야기는 그때 그걸로 끝이었습니다. 조금 전에 어머니도 그 이야기를 하며 웃었습니다. 어머니는 저번에 혀끝이 아프다고 하셨는데 나오지가 추천한 미학 의료법을 통하여 고통도 가시고 요즘은 조금 건강하십니다.

방금 제가 툇마루에 서서 소용돌이를 그리며 휘날리는 안개비를 바라보면서 당신의 마음에 대해 생각에 잠겨 있으려니,

"우유를 데웠으니 오렴."

하고 어머니가 거실에서 부르셨습니다.

"추우니까 좀 뜨겁게 해 봤어."

우리는 거실에서 하얀 김이 올라오는 뜨거운 우유를 마시면서 먼젓번 선생님에 관한 이야기를 나누었습니다.

"그분과 저는 도저히 어울리지 않죠?"

어머니는 담담하게,

"안 어울려."

라고 말씀하셨습니다.

"전 이렇게 제멋대로고, 예술가라는 걸 싫어하지는 않지만 그분에게는 많은 수입이 있는 것 같기도 하고, 그런 분과 결혼하면 그야 좋겠죠. 그치만 잘 안 돼요."

어머니는 웃으시며,

"가즈코는 고민이 많은 아이구나. 그렇게 안 된다면서 저번에 그분과 즐거운 듯이 대화를 나눴잖니. 네 마음을 잘 모르겠어."

"어머, 하지만 재미있었는걸요. 좀 더 여러 가지 이야기를 나누고 싶었어요. 전 조신하지 않네요."

"아니, 착 달라붙어 있었어. 가즈코 끈끈이."

어머니는 오늘 상당히 힘이 넘쳤다.

그리고 오늘 처음으로 틀어 올린 제 머리를 보시며,

"머리를 틀어 올리는 건 머리숱이 적은 사람이 하면 좋아. 네가 하면 너무 풍성해져서 금으로 된 관이라도 얹고 있는 것 같잖니. 실패했네."

"너무하세요. 그게 언제였더라. 가즈코는 목덜미가 하얗고 예쁘니까 되도록 가리지 말라고 말씀하셨잖아요."

"그런 것만 기억하네."

"조금이라도 칭찬받은 일은 평생 안 잊어요. 기억해두는 편이 즐거운걸.”

“저번에 그분한테도 칭찬받았지.”

“맞아요. 그래서 착 달라붙었어요. 저와 함께 있으면 영감이, 아아, 정말이지 말도 안 돼. 전 예술가는 싫지 않지만 인격자처럼 거드름을 피우는 사람은 정말 안 되겠어요.”

“나오지의 선생님은 어떤 사람이야?”

저는 깜짝 놀랐습니다.

“잘은 모르지만 아무래도 나오지의 선생님이니까, 불량배라는 푯말이라도 달고 있을 것 같아요.”

“푯말을 달고 있다?”

하고 어머니는 즐거운 듯이 옷매무새를 정리하시며 중얼거리시더니,

“재미있는 표현이네. 푯말을 달고 있다면 도리어 안전해서 좋지 않니? 방울을 목에 걸고 있는 새끼고양이처럼 귀엽잖니. 푯말을 달고 있지 않은 불량배가 무서운 법이지.”

“그런가요.”

너무도 기뻐서 몸이 서서히 연기로 변하여 하늘로 빨려 들어가는 것 같은 기분이었습니다. 아시겠습니까? 어째서 제가 기뻤는지. 모른다고 하시면…… 화낼 겁니다.

정말로 한번 이쪽으로 놀러 오지 않으시겠어요? 제가 나오

지에게 당신을 데려오도록 분부하는 것도 어쩐지 부자연스럽고 이상하니 당신 자신의 여흥으로 어쩌다 보니 이곳에 들렀다고 하는 형태로 나오지의 안내를 받으셔도 되겠지만, 그래도 될 수 있으면 홀로 그리고 나오지가 도쿄에 출장 가서 집을 비웠을 때 와주세요. 나오지가 있으면 당신을 나오지에게 빼앗길 테고 당신들은 오사키 씨를 방문하여 소주 따위를 마시러 외출하러 나갈 테고 그대로 끝날 게 뻔하니까요. 우리 집은 선조 대대로 예술가를 좋아했던 것 같습니다. 고우린光琳이라는 화가도 예전에 교토에 있는 우리 집에 오랫동안 체재하며 맹장지에 깔끔한 그림을 그려주셨습니다. 그러니까 어머니도 당신의 방문을 분명 기뻐하실 겁니다. 당신은 분명 이층에 있는 서양식 방에 묵고 가시게 되겠죠. 잊지 마시고 전등을 꺼두세요. 저는 작은 촛불을 한 손에 들고 어두운 계단을 올라가서, 그러면 안 될까요? 너무 성급했군요.

전 불량아를 좋아해요. 그것도 풋말을 단 불량아가 좋아요. 그리고 저도 풋말을 단 불량아가 되고 싶어요. 그렇게 하는 것이 내 삶의 방식인 것 같아요. 당신은 풋말을 달고 있는 일본 제일의 불량아잖아요. 그리고 요즘 또다시 많은 사람이 당신을 몹쓸 놈이라고 하며 심하게 미워하며 공격하고 있다지요. 동생에게 듣고서 결국 당신을 좋아졌습니다. 당신은 분명 친구가 많겠지만 얼마 지나지 않아 저 하나만을 좋아하게 되시겠죠. 어째선지 분명 그럴 것 같다는 생각이 뇌리를 떠나지 않습니다. 그리고 당신은 저와 함께 생활하며 매일 즐겁게 일할 수 있겠죠. 어렸을 적부터 저는 남들에게 "너와 함께 있으면 노고勞苦를 잊는다"라는 말을 자주 들었습니다. 저는 지금까지 남들에게 미움받은 경험이 없습니다. 다들 착하다고 말해주었습니다. 따라서 당신도 절 싫어할 리가 결코 없다고 생각합니다.

만나보면 아실 겁니다. 지금은 대답도 뭣도 필요 없습니다. 만나고 싶습니다. 제 쪽에서 당신 집을 찾아가면 가장 간단하게 만나 뵐 수 있겠지만 일단 어머니가 몸이 편찮으시고 전 이곳에 딸린 간병인 겸 가정부이니 아무래도 그건 힘듭니다. 부탁드립니다. 부디 이쪽으로 발걸음 해주세요. 한 번 만나 뵙고 싶습니다. 그리고 모든 건 만나면 알 수 있을 거예요. 제 입 양쪽에 생긴 희미한 주름을 보세요. 세기의 슬픈 주름을 보세요. 어떤 말보다 저의 얼굴이 제 가슴 속 마음을 선명하게 당신에게 알려줄 것입니다.

처음에 보낸 편지에 제 가슴에 걸려 있는 무지개에 대하여 적었는데, 그 무지개는 반딧불이의 빛처럼, 별님의 빛처럼 그런 품격 있고 아름다운 것은 아닙니다. 그렇게 연하고 머나먼 마음이었다면 이렇게 괴로워하지 않고 점차 당신을 잊어갈 수 있었겠죠. 제 가슴 속 무지개는 불타오르는 다리입니다. 가슴이 타들어 갈 정도의 마음입니다. 마약중독자가 마약이 끊어져 약을 원할 때의 마음도 이 정도로 괴롭지는 않을 테죠. 문제가 없고 도리에 어긋나지 않았다고 생각하면서도 문득 엄청 바보 같은 짓을 하는 건 아닐까 싶어서 소름이 돋았던 적도 있습니다. 발광하고 있는 건 아닐까 싶어서 반성하는 그런 마음도 넘쳐납니다. 그러나 냉정하게 계획하고 있는 일도 있습니다. 진심으로 이쪽에 한 번 방문해주세요. 언제 오셔도 괜찮습니다. 저는 어디에도 가지 않고 항상 기다리고 있습니다. 절 믿어주세요.

재회한 그때, 싫다면 확실하게 말씀해주세요. 이 가슴 속 불꽃은 당신이 점화한 것이니 당신이 끄고 가세요. 저 혼자만의 힘으로는 진화할 수가 없습니다. 어떻게든 만날 수만 있다면 좋겠습니다. 만요万葉나 겐지이야기源氏物語의 배경인 헤이안 시대였다면 제가 말씀드리고 있는 일이 아무것도 아니었을 텐데. 제 소망. 당신의 애첩이 되어 아이의 엄마가 되는 일.

만일 이 편지를 조소하는 사람이 있다면 그 사람은 여자의 살아가는 노력을 비웃는 사람입니다. 여자의 목숨을 조소하는 사람입니다. 저는 숨 막힐 것처럼 정체된 항구의 분위기를 견디지 못하고 항구 밖은 폭풍이 불지만 돛을 올리고 싶습니다. 정체된 돛은 예외 없이 더럽습니다. 절 조소하는 인간들은 분명 그런 돛일 것입니다. 아무것도 할 수 없습니다.

곤란한 여자. 그러나 이 문제에서 가장 괴로워하고 있는 건 접니다. 이 문제에 대하여 전혀 괴로워하지 않는 방관자가 돛을 완전히 방치하고 있으면서 이 문제를 비판하는 건 난센스입니다. 저에 대해 무슨 무슨 사상 따위로 규정당하고 싶지 않습니다. 무사상입니다. 사상이나 철학을 가지고 행동한 일은 한 번도 없습니다.

세상에서 평판이 좋고 존경받는 사람은 모두 거짓말쟁이고 거짓된 자라는 걸 전 압니다. 저는 세상을 신용하지 않습니다. 푯말 달린 불량배만이 제 편입니다. 푯말 달린 불량아. 저는 그 십자가에는 매달려 죽어도 좋을 것 같습니다. 만인에게 비난받는대도 저는 떳떳합니다. 당신은 푯말이 달려 있지 않은 더욱 위험한 불량아가 아니던가요.

아셨습니까?

사랑에 이유는 없습니다. 이론 같은 말을 지나치게 많이 늘어놓았습니다. 동생의 흉내에 지나지 않았던 것 같은 기분도 듭니다. 오시기를 기다리고 있을 따름입니다. 한 번 더 만나뵙고 싶습니다. 그뿐입니다.

기다림. 아아, 인간의 생활에는 기쁨, 분노, 슬픔, 미움 등 여러 가지 감정이 있지만 그래도 그건 생활에서 대략 1퍼센트를 점유하고 있을 뿐인 감정이고, 나머지 99퍼센트는 그저 기다리며 생활하고 있는 건 아닐까요? 행복의 발소리가 들려오는 걸 '지금인가, 지금인가' 고대하며 가슴이 문드러지는 마음으로 기다리며, 텅텅 빈 공허. 아아, 인간의 생활이란 너무나도 비참해. 태어나지 않는 편이 좋았다고 다들 생각하고 있는 현실. 그리고 매일 아침부터 밤까지 덧없이 무언가를 기다리고 있어요. 너무나도 비참합니다. 태어나지 않았더라면 아아, 목숨을, 인간을, 세상을, 기쁘게 바라보고 싶습니다.

방해받는 도덕을 뛰어넘을 수는 없습니까?

M · C(마이 체호프의 이니셜은 아닙니다. 저는 작가를 사랑하고 있는 것이 아닙니다. 마이, 차일드)

5

난 올여름 어느 남성에게 세 통의 편지를 보냈지만 답장은 없었다. 아무리 생각해도 내게 그것 이외의 다른 삶의 방식이 불가능하다고 생각하여 세 통의 편지에 진심을 정리하여 적고, 곶의 막다른 곳에서 노도怒濤처럼 뛰어내리는 기분으로 편지를 보냈는데 아무리 기다려도 답장은 없었다. 동생 나오지에게 넌지시 그 사람의 상태를 물어도 그는 아무런 변화 없이 매일 밤 술을 마시러 다니며 부도덕한 작품만 쓰면서 세간 사람들에게 빈축을 사서 미움 받는 것 같았고, 나오지에게 출판업을 시작하자고 권유했으며 나오지는 완벽히 그럴 마음으로 그 사람 외에도 두어 명의 소설가를 고문으로 두고 자금을 대줄 사람도 있다느니 뭐라느니, 나오지의 이야기를 듣고 있으면 내가 사랑하고 있는 사람의 신변 분위기에 내 향기가 티끌만큼도 스미지 않고 있는 것 같았고, 수치스럽다는 마음보다도 이 세상이라는 것이 내가 생각하고 있는 세상과 딴판인 기묘한 생물 같은 기분이 들어서, 나 혼자만 오도카니 남겨져 아무리 부르고 외쳐도 반향을 일으키지 않는 황혼의 가을 황야에 세워져 있는 듯한, 이제껏 맛본 적 없는 처창凄愴[36]한 마음에 휩싸였다. 이것이 실연이라는 것일까? 황야에 그저 우두커니 서 있는 사이에 해가 완전히 꺼지고 밤이슬에 얼어 죽는 것 이외엔 방도가 없을 거라고 생각했더니, 눈물이 나지 않는 통곡으로 인해 양쪽 어깨와 가슴이 격렬하게 굽이치며 호흡도 불가능한 기분인 것이다.

이렇게 된 이상 내가 어떻게 해서든 상경하여 우에하라 씨를 만나 뵙자. 이미 나의 돛은 올라갔고 항구 밖으로 나와 버

---

36) 몹시 애달프고 한탄스러운 마음.

렸는걸. 가만히 서 있을 수만은 없다. 갈 수 있는 곳까지 나아가야 한다고, 남몰래 상경하겠다는 마음의 준비를 시작한 순간 어머니의 용태가 급변했다.

하룻밤 기침이 심하게 나서 열을 재봤더니 39도였다.

"오늘 추웠으니까. 내일은 나아질 거야."

라고 어머니는 기침을 하며 작은 소리로 말씀하셨지만 아무래도 단순한 기침은 아닌 것 같아서 내일은 일단 마을 의사를 모셔오자고 마음속으로 다짐했다.

다음 날 아침 열은 37도로 내려가고 기침도 어느 정도 그쳤지만 그래도 나는 마을 선생님 댁에 찾아가서 어머니가 요즘 이상하게 쇠약해지셨다는 것, 어젯밤부터 다시 열이 났고 기침도, 단순한 감기의 기침과 다른 것 같다는 식으로 이런저런 것을 설명하고 진찰을 부탁했다.

선생님은 "그러면 곧 찾아뵙죠. 이건 받은 것인데요."라고 말씀하시며 응접실 구석 찬장에서 배를 세 개 꺼내어 주셨다. 그리고 오후 조금 지나서 시로가스리白絣[37]에 여름용 하오리를 걸치시고 진찰하러 오셨다. 평소처럼 정중한 태도로 오랫동안 청진과 타진을 하신 후 내 쪽을 똑바로 돌아보시며,

"걱정 없습니다. 약을 드시면 낫습니다."

---

37) 하얀 천에 남색이나 검은색 등의 문양을 직조한 천.

라고 말씀하신다.

나는 묘하게 웃음이 나기에 웃음을 참으며,

“주사는 안 되나요?”

라고 여쭤보자 진지하게,

“그럴 필요는 없을 겁니다. 감기인 것 같으니 가만히 누워 계시면 금세 감기가 떨어질 겁니다.”

라고 말씀하셨다.

그러나 어머니의 열은 그로부터 일주일이 지나도 떨어지지 않았다. 기침은 그쳤지만 열은 아침은 7도 7분 정도였고 저녁 무렵에는 9도로 올랐다. 의사는 그다음 날부터 배탈이 났다며 쉰다고 했고 내가 약을 받으러 가서 어머니의 용태가 좋지 않다는 것을 간호사에게 말하고 선생님에게 전달해도 “평범한 감기라서 걱정 없습니다.”라는 대답과 물약, 가루약을 줄 뿐이었다.

나오지는 여전히 도쿄 출장이라며 열흘 남짓이나 집에 돌아오지 않았다. 나 혼자 불안한 나머지 외삼촌께 어머니의 변화를 엽서에 적어서 알렸다.

발열한 후 이래저래 열흘째에 마을 선생님이 겨우 배탈 났던 게 호전되었다고 하며 진찰하러 오셨다.

선생님은 어머니의 가슴을 진지한 표정으로 타진하시면서,

"알았습니다. 알았습니다."

라고 외치고는 다시 날 똑바로 돌아보시더니,

"열의 원인을 알아냈습니다. 왼쪽 폐에 침윤浸潤이 발생했습니다. 하지만 걱정할 필요는 없습니다. 열은 당분간 이어지겠지만 가만히 계시면 걱정할 필요는 없습니다."

라고 말씀하셨습니다.

정말 그런 것인가 의문이 들면서도 물에 빠진 사람이 지푸라기라도 잡는 심정으로 마을 선생님의 진단을 듣고 조금 안심한 부분도 있었다.

의사가 돌아가고 나서,

"다행이네요, 어머니. 소량의 침윤이라니 대부분의 사람에게 있는걸요. 마음을 단단히 잡수시고 있으면 어느새 나아있을 거예요. 올여름 불순했던 날씨가 안 좋았던 거예요. 여름은 싫어요. 가즈코는 여름꽃도 싫어요."

어머니는 눈을 감으면서 웃으시더니,

"여름꽃을 좋아하는 사람은 여름에 죽는다고 하니 저도 올여름쯤 죽겠거니 생각하고 있었더니 나오지가 돌아와서 가을까지 살았군요."

저런 나오지라도 어머니 삶의 희망이 되는 기둥 역할을 한다고 생각했더니 괴로웠다.

"그래도 이제 여름은 지나갔으니 어머니가 위험한 시기의 고비를 넘긴 거네요. 어머니, 정원에 싸리가 피었어요. 그리고 여랑화, 오이풀, 도라지, 솔새, 참억새. 정원이 완연한 가을 정원으로 변모했어요. 시월이 되면 분명 열도 내리실 테죠."

나는 그렇게 기도했다. 하루빨리 구월의 이 후텁지근한 늦더위가 지나가면 된다. 그러고 나서 국화가 피고 화창한 소춘[38] 날씨가 이어지면 반드시 어머니의 열도 내리고 건강도 되찾으시고 나도 그 사람과 재회하여 꽃송이가 큰 국화처럼 내 계획도 멋들어지게 피는 게 가능할지도 모른다. 아아, 어서 시월이 와서 어머니의 열이 내려야만 한다.

외삼촌께 엽서를 보내고 나서 일주일 후에 외삼촌의 선처로 예전 시의侍医[39]를 하고 있던 미야케三宅 님이라고 하는 노 선생님이 간호사를 대동하고 도쿄에서 진찰하러 오셨다.

선생님은 돌아가신 우리 아버지와 교제가 있던 분이었기에 어머니는 상당히 기뻐하셨다. 게다가 선생님은 예전부터 예의가 없고 말투도 난폭했는데 그것이 또 어머니가 마음에 들어 하는 점이었는지 그날은 진찰 같은 건 뒷전이고 터놓고 나누는 세상 이야기로 흥겨워하셨다. 내가 부엌에서 푸딩을 준비

---

38) 음력 시월.
39) 왕족을 진찰하던 의사. 한국에서의 내의에 해당함.

하여 방으로 들고 갔더니 이미 그사이에 진찰도 끝냈는지 선생님은 청진기를 목걸이처럼 엉성하게 어깨에 걸어둔 채 방과 이어진 통로의 등나무 의자에 앉아서,

"우리도 말이지, 야타이[40]에서 우동을 서서 먹는데. 맛있고 말고도 없지요."

라고 태평한 세상 이야기를 이어가신다. 어머니도 태연스럽게 천장을 보며 그 이야기를 듣고 계신다. 나는 별일이 없었다고 안도했다.

"어땠나요? 여기 마을 선생님은 왼쪽 가슴에 침윤이 있다고 말씀하셨는데요."

라고 나도 갑작스레 힘을 내어 미야케 님께 여쭤봤더니 선생님은 태연스레,

"흐음, 괜찮다."

라고 가볍게 말씀하신다.

"아무튼 다행이네요, 어머니."

라고 나는 진심 어린 미소를 지으며 어머니에게 말했다.

"괜찮다고 하네요."

그때 미야케 님은 등나무 의자에서 가만히 일어나서 중국풍 방으로 나가셨다. 무언가 내게 할 말이 있는 걸로 보였기에

40) 포장마차.

나는 살며시 그 뒤를 따라갔다.

선생님은 방에 있는 장식품 그림자를 밟으며 멈추더니,

“심상치 않은 소리가 들린다네. “

라고 말씀하셨다.

“침윤이 아니에요?”

“아니다.”

“기관지 카타르는?”

나는 어느새 울상지으며 여쭙고 있었다.

“아냐.”

결핵! 나는 그렇게 생각하고 싶지 않았다. 폐렴이나 침윤, 기관지 카타르였다면 반드시 내 힘으로 낫게 해드린다. 그러나 결핵이라면 아아, 아무것도 할 수 없을지도 모른다. 나는 발밑이 무너져 내리는 듯한 기분이 들었다.

“소리가 많이 안 좋아요? 이상한 소리가 들려요?”

불안한 마음에 나는 훌쩍거리며 울기 시작했다.

“오른쪽도 왼쪽도 전부.”

“하지만 어머니는 아직 건강하셔요. 식사도 맛있다고 하시고…….”

“방도가 없어.”

“거짓말이에요. 그렇죠, 그런 게 아니죠? 버터와 달걀, 우유를 많이 드시면 낫겠죠? 몸에 면역력만 붙으면 열 같은 건 내려가겠죠?"

"그래, 뭐든 많이 드실 일이지."

"그렇죠? 그렇겠죠? 토마토도 매일 다섯 개 정도는 드시고 있어요."

"그래, 토마토는 좋지."

"그러면 괜찮은 거죠? 낫는 거죠?"

"하지만 이번 병은 목숨을 잃을지도 모른다. 그걸 염두에 두고 있는 게 좋겠다."

사람의 힘으로 어떻게 할 수 없는 일이 세상에는 많다고 하는 절망적인 벽의 존재를 태어나서 처음으로 깨달았던 것 같다.

"이 년? 삼 년?"

나는 떨면서 작은 소리로 여쭈었다.

"몰라. 아무튼 더는 손 쓸 방도가 없어."

그리고 미야케 님은 이즈의 나가오카長岡 온천에 숙소를 예약했다고 하며 간호사와 함께 돌아가셨다. 문밖에 배웅하고 나서 정신없이 돌아와서 방에 있는 어머니 머리맡에 앉아 아무 일도 없었다는 듯이 웃었더니 어머니는,

"선생님은 뭐라고 하시디?"

라고 물어보셨다.

“열만 내리면 된다네요.”

“가슴은?”

“별거 아닌 모양이에요. 봐요, 예전에 병에 걸렸을 때와 같은 거예요, 분명. 곧 날이 시원해지면 점점 건강해질 거예요.”

나는 자신의 거짓말을 믿으려고 했다. 목숨에 지장이 있다고 하는 무시무시한 말은 잊으려고 했다. 내게 어머니가 돌아가신다고 하는 것은, 그것은 내 육체도 함께 소실하게 되는 느낌이었고 결코 사실이라고 생각할 수 없는 일이었다. 앞으로는 모든 것을 잊고 어머니께 맛있는 걸 많이 준비해 드리자. 생선. 수프. 통조림. 간. 육즙. 토마토. 달걀. 우유. 장국. 두부가 있으면 좋을 텐데. 두부가 들어간 미소시루. 하얀 쌀밥. 떡. 맛있어 보이는 건 뭐든, 내가 가진 걸 모조리 팔아서 어머니가 맛있게 드실 수 있도록 해야지.

나는 일어나서 중국풍 방으로 갔다. 그리고 그곳에 있던 긴 의자를 툇마루 가까이 옮기고 어머니의 얼굴이 보이도록 앉았다. 누워계신 어머니의 얼굴에서 병자 같은 모습은 찾아볼 수 없었다. 눈은 아름답고 또렷했으며 얼굴도 생기가 있었다. 매일 아침 규칙적으로 기상하고 세면대로 가셨고, 욕실에서 직접 머리를 묶고 몸단장을 깔끔하게 하고 잠자리로 돌아와 이

불에 앉은 채 식사를 끝내고 나서 누웠다 일어났다 했고, 오전 중엔 계속 신문이나 책을 읽고 있으며 오후에만 열이 났다.

'아아 어머니는 건강하셔요. 분명 괜찮아요.'

라고 나는 마음속으로 미야케 님의 진단을 강하게 지워버렸다.

시월이 되고 국화꽃이 필 무렵이 오면 된다는 생각을 하는 사이에 나는 꾸벅꾸벅 졸기 시작했다. 현실에서 한 번도 본 적 없는 풍경인데 그래도 꿈에서는 때때로 그 모습을 보며, 또다시 이곳에 왔다고 생각하는 낯익은 숲속 호숫가로 나왔다. 나는 발소리를 내지 않으며 일본 전통 의상을 입은 청년과 함께 걷고 있었다. 풍경 전체에 녹색 안개가 끼어 있는 느낌이었다. 그리고 호수 바닥에 하얗고 가냘픈 다리가 잠겨 있었다.

"아아, 다리가 물에 잠겨 있어. 오늘은 아무 데도 못 가겠네. 여기 호텔에서 쉬죠. 분명 비어 있는 방이 있을 거야."

호숫가에 돌로 만든 호텔이 있었다. 그 호텔 돌은 녹색의 안개로 촉촉하게 젖어 있었다. 오른쪽 문 위에 금색 글씨로 가느다랗게 'HOTEL SWITZERLAND'라고 새겨져 있었다. SWI 부분을 읽고 있는데 불시에 어머니에 관한 생각이 떠올랐다. 어머니는 어쩌고 계실까. 어머니도 이 호텔에 계실까? 의문이 생겼다. 그리고 청년과 함께 돌 문을 지나 앞뜰로 들어갔다. 안개 낀 뜰에 수국과 닮은 붉고 커다란 꽃이 불타오르는 것처럼 피어 있었다. 어렸을 적 이불에 새빨간 수국 문양이 흩어져 있던 것을 보고 묘하게 슬펐는데 아니나 다를까 붉은 수국은 실재한다고 생각했다.

"안 추워?"

"네, 조금. 안개 때문에 귀가 젖어서 귀 뒤가 차가워."

라고 말하고 웃으면서,

"어머니는 어쩌고 계실까."

하고 물었다.

그러자 청년은 너무나 슬프다는 듯이 자애 깊은 미소를 지으며,

"그분은 무덤 아래에 계세요."

라고 대답했다.

"아."

라고 나는 작게 소리쳤다. 그랬다. 어머니는 이미 여기에 계시지 않았다. 매장도 진즉 끝마치지 않았던가. 아아, 어머니는 이미 돌아가셨다고 의식했더니 형언할 수 없는 서글픔으로 몸이 떨리며 눈이 떠졌다.

베란다를 보니 이미 황혼이었다. 비가 내리고 있었다. 녹색의 적막함은 꿈에서 그랬던 것처럼 온 주변에서 표류하고 있었다.

"어머니."

하고 불렀다.

조용한 목소리로,

"뭐 하고 있니?"

라는 대답이 들려왔다.

나는 기쁜 나머지 총알같이 방으로 가서,

"지금 말이죠, 누워있었어요."

"그래. 뭘 하고 있나 했지. 기나긴 낮잠이었네."

라고 재미있다는 듯이 웃으셨다.

나는 어머니가 이렇듯 우아하게 숨 쉬며 살아 계신다는 사실이 너무나도 기쁘고 고마워서 눈물짓고 말았다.

"저녁 식사는? 드시고 싶은 건 있어요?"

나는 재잘거리는 어조로 그렇게 말했다.

"아뇨. 아무것도. 오늘은 열이 9도 5분으로 올랐어."

순식간에 나는 찌부러지며 풀이 죽었다. 그리고 정신이 아득해지며 어둑어둑한 방안을 넋을 놓고 둘러보며 문득 죽고 싶다는 생각이 들었다.

“왜 그럴까요. 9도 5분이라니.”

“아무렇지도 않아. 그저 열이 나기 전이 싫어. 머리가 조금 아프고 오한이 들고 나서 열이 나니까.”

바깥은 이미 어둠이 깔렸고 비는 그친 것 같았지만 바람이 불었다. 불을 켜고 부엌에 가려고 하자 어머니가,

“눈부시니까 켜지 마.”

라고 말씀하셨다.

“어두운 곳에서 가만히 누워있는 건 싫으시잖아요.”

라고 일어난 채로 여쭸더니,

“눈을 감고 누워있을 거니까 똑같아. 전혀 적적하지 않아. 도리어 눈부신 게 싫어. 그러니까 앞으로 방에 불은 켜지 마.”

라고 말씀하셨다.

내게는 그 또한 불길한 느낌이 들었고 말없이 불을 끄고 옆방으로 가서 그곳에 있는 스탠드 불을 켜고서, 너무나 불안하여 급히 부엌에 가서 통조림 연어를 차가운 밥에 올려 먹었더니 주룩주룩 눈물이 났다.

밤이 되었더니 이윽고 바람이 강해지며 아홉 시 무렵부터 비도 섞이면서 결국 폭풍으로 변했다. 이삼일 전에 감아둔 툇마루 쪽 발이 덜컹거리는 소리를 냈고 나는 옆 방에서 로자

룩셈부르크Rosa Luxemburg의 '경제학 입문'을 기묘한 흥분에 휩싸인 채 읽었다. 이것은 최근 이 층 나오지 방에서 가지고 온 것인데, 그때 그와 함께 레닌 선집, 카우츠키Karl Johann Kautsky의 '사회혁명' 같은 것도 무단으로 빌려 왔고, 그걸 내 책상 위에 올려두었더니 어머니가 아침에 세수하러 왔다가 돌아가는 길에 내 책상 옆을 지나며 그 세 권의 책에 우연히 시선을 두더니 하나하나 손에 들고서 보시고는 가볍게 한숨을 쉬며 살며시 책상 위에 책을 돌려놓고 쓸쓸한 표정으로 내 쪽을 힐끔 쳐다보았다. 그러나 그 시선은 깊은 슬픔으로 번져 있으면서도 결코 부정하거나 혐오하는 것은 아니었다. 어머니가 읽는 책은 유고, 뒤마 부자, 뮈세, 도데 같은 저자의 것인데 나는 그와 같은 감미로운 스토리 책에도 혁명의 향기가 담겨 있다는 걸 알고 있다. 천성적인 교양이라는 말도 어폐가 있지만, 어머니처럼 그런 것을 지닌 분은 의외로 아무렇지도 않게 지당한 것으로서 혁명을 받아들이는 게 가능할지도 모르겠다. 나 역시 로자 룩셈부르크의 책 따위를 읽으며 거슬린다고 생각되는 부분이 없지는 않지만, 그래도 내 나름대로 깊은 흥미를 느끼고 있었다. 여기에 적힌 것은 경제학이라고 되어 있지만 경제학으로 읽으면 정말이지 재미가 없다. 실로 단순하고 이미 알고 있는 사실밖에 없다. 아니, 어쩌면 나는 경제학이라는 것을 결코 이해할 수 없는 건지도 모른다. 아무튼 내가 보기에는 전혀 재미있지 않다. 인간이라는 건 인색하고, 나아가 영원히 인색할 것이라고 하는 전제가 없으면 전혀 성립하지 않는 학문이었고, 인색하지 않은 인간으로서는 분배 문제 따위는 그야말로 흥미 없는 주제인 것이다. 그래도 나는 이 책을 읽고 다른 점에서 기묘한 흥분을 느꼈다. 그것은 이 책의 저자가 아무 주저 없이 예로부터 유래한 사상을 철저하게 파괴해 가는 열정적인 용기였다. 아무리 도덕에 반하는 일이어도 사랑하는 사람이 있는 곳으로 곧장 달려가는 청명한 유부녀의 모습마저 연상되었다. 파괴 사상. 파괴는 가련하고 허하면서도 아름다운 것이다. 파괴한 후 새로 창조하여 완성하고자 하는 꿈. 일단 파괴하면 영원히 완성의 날이 오지 않을지도 모른다고 하는데도 연모하는 사랑 탓에 파괴해야만 하는 것이다. 혁명을 일으켜야만 하는 것이다. 로자는 마르크스주의를 대상으로 슬퍼하면서도 한결같이 사랑하고 있다.

그건 열두 해 전 겨울이었다.

"넌 사라시나 일기更級日記[41]의 소녀 같구나. 무슨 말을 해도 쇠귀에 경 읽기겠어."

---

41) 다카스에 영애가 13세 때부터 50대까지 약 40년 동안 쓴 회고록이다. 다카스에 영애는 모노가타리 장르에 대한 강한 동경을 품었고 『겐지이야기』의 유가오와 우키후네와 같은 사랑에 열광하는 아가씨였다고 한다.

라고 말하며 날 떠난 친구. 그때 나는 그 친구에게 레닌의 책을 읽지 않고 돌려주었다.

"읽었어?"

"미안해. 안 읽었어."

니콜라이당ニュライ堂[42]이 보이는 다리 위였다.

"왜? 어째서?"

친구는 나보다 조금 더 키가 컸고 언어에 상당한 재능이 있었으며 붉은 베레모가 잘 어울렸고, 얼굴도 조콘다Gioconda[43] 같다고 하는 평판을 가진 아름다운 사람이었다.

"표지 색이 싫었어."

"이상한 아이네. 그런 게 아니지? 사실은 내가 무서워진 거지?"

"무섭지 않아. 난 표지 색이 참을 수 없었을 뿐이야."

"그래."

라고 씁쓸한 것처럼 말하고 날 사라시나 일기에 빗대며 무슨 말을 해도 통하지 않을 거라고 단정했다.

우리는 얼마간 아무 말 없이 겨울 강을 내려다보고 있었다.

"건강하길 바라. 만일 이게 영원한 이별이라면 영원히 건강

---

42) 도쿄도 지요다구 간다 스루가다이에 있는 정교회 대성당.
43) 레오나르도 다빈치의 그림 '모나리자'의 또 다른 이름.

하길. 바이런."

하고 말하고는 바이런의 시구 원문을 빠른 말로 읊고서 내 몸을 가볍게 안았다.

나는 겸연쩍어서,

"미안해요."

라고 작은 소리로 사죄하고 오차노미즈お茶の水 역으로 걸어가다가 돌아봤더니 그 친구는 움직이지 않고 다리 위에 서서 뚫어지라 날 바라보고 있었다.

그 후 그 친구와 만나지 않는다. 같은 외국인 교사의 집을 다니며 배우고 있었지만 학교가 달랐다.

그로부터 열두 해가 지났지만 나는 여전히 사라시나 일기에서 한 발도 더 나아가지 못했다. 대체 그동안 무얼 하고 있었던 것일까. 혁명을 동경했던 적도 없었고 연애조차 몰랐다. 지금까지 세간의 어른들은 혁명과 연애 이 두 가지를 가장 어리석고 꺼림칙한 것이라고 우리에게 가르치고, 전쟁 전에도, 전쟁 중에도 우리는 그렇게 착각하고 있었지만 전쟁에서 패배한 후 우리는 세간의 어른을 신뢰하지 않게 되었고, 뭐든 그 사람들이 하는 말을 반대하는 것에 진정한 삶의 길이 있는 것 같은 기분이 들어, 혁명도 그렇고 연애도 사실은 세상에서 가장 좋고 각별한 것이며 너무나도 멋진 것이라서, 어른들이 짓궂게도 우리에게 설익은 포도라며 거짓으로 알려주었던 것임이 틀림없다고 생각하게 되었다. 나는 확신하고 싶다. 인간은 연애와 혁명을 위하여 태어난 것이라고.

살며시 맹장지 문이 열리며 어머니가 미소를 띤 얼굴을 내미시더니,

"아직도 깨어 있었네. 안 졸리니?"

라고 말씀하셨다.

책상 위 시계를 보았더니 열한 시였다.

"네, 전혀 안 졸려요. 사회주의 책을 읽고 있었더니 흥분해서요."

"그래. 술 없니? 그런 때는 술을 마시고 누우면 푹 잠들 수 있거든."

라고 놀리는 듯한 어조로 말씀하셨지만 그 태도에는 어딘가 데카당과 종이 한 장 차이인 품위와 아름다움이 있었다.

이윽고 시월이 되었지만 광활하고 맑은 가을 하늘은 보이지 않고 장마철 같은 끈적끈적하고 후텁지근한 더운 날이 이어졌다. 어머니의 열은 여전히 매일 저녁이 되면 38도와 39도 사이를 오락가락했다.

그리고 어느 날 아침 무시무시한 것을 발견하고야 말았다.

어머니의 손이 부어 있던 것이다. 아침밥이 가장 맛있다고 하시던 어머니도 요즘은 이불에 앉아서 극소량의 죽을 가볍게 한 그릇, 반찬도 향기가 강한 것은 힘들어했고 그날은 송이버섯을 넣은 장국을 차려드렸는데 아니나 다를까 송이버섯의 향기마저 싫으신 모습이었고, 그릇을 입가에 가져갔다가 그대로 살며시 상에 돌려놓으시는 그때, 나는 어머니의 손을 보고 깜짝 놀랐다. 오른손이 동그랗게 부풀어 올랐던 것이다.

"어머니! 손, 불편하지 않아요?"

얼굴마저 조금 창백하고 부어 있는 것처럼 보였다.

"아무렇지도 않아. 이 정도는 별거 아니야."

"언제부터, 부었어요?"

어머니는 눈부신 것 같은 표정으로 아무 말씀도 하지 않으셨다. 나는 소리 내어 울고 싶어졌다. 이런 건 어머니의 손이 아니다. 다른 집 아줌마의 손이다. 우리 어머니의 손은 좀 더 가느다랗고 자그마한 손이다. 내가 잘 알고 있는 손. 상냥한 손. 귀여운 손. 그 손은 영원히 사라진 것일까. 왼손은 아직 그렇게 많이 부어 있지 않았지만 너무 애처로운 나머지 차마 보고 있을 수 없어서 나는 시선을 돌리고 도코노마床の間[44]에

44) 일본식 방의 벽면에 설치되는, 주변 다다미보다 한 단이 높은 공간을 말한다.

도코노마

놓인 꽃바구니를 노려보고 있었다.

눈물이 날 것 같아서 급히 일어나 부엌으로 갔더니 나오지가 홀로 반숙 달걀을 먹고 있었다. 나오지는 가끔 이 집에 있을 때도 밤에는 반드시 오사키 씨 댁에 가서 소주를 마셨고, 아침밥은 먹지 않고 기분 나빠 보이는 얼굴로 반숙 달걀을 네다섯 개 먹을 뿐이었고, 그러고 나서 다시 이 층으로 돌아가서 잤다 일어났다 하며 생활했다.

"어머니의 손이 부어서."

라고 나오지에게 말을 걸고 고개를 숙였다. 말을 이어나갈 수 없어서 고개를 숙인 채 어깨를 들썩이며 울었다.

나오지는 아무 말도 하지 않았다.

나는 얼굴을 들고,

"이제 가망이 없어. 모르겠어? 저렇게 부으면 더는 가망이 없는 거야."

라고 하며 테이블 끝자락을 붙잡고 말했다.

나오지도 어두운 얼굴로,

"얼마 안 남았지, 그야. 쳇, 상황이 안 좋게 돌아가네."

"난 다시 한번 낫게 하고 싶어. 어떻게든 나아지게 만들고 싶어."

오른손으로 왼손을 부여잡으며 말했더니 돌연 나오지가 훌쩍거리며 울기 시작하더니,

"아무것도, 좋은 일이 없잖아. 우리에겐 좋은 일이 왜 없는 거냐고."

라고 말하면서 무작정 주먹으로 눈을 비볐다.

그날 나오지는 외삼촌께 어머니의 용태를 알리고 이후의 일에 대한 지시를 받아 상경하였고, 나는 어머니 곁에 있지 않을 때는 아침부터 밤까지 거의 울기만 했다. 아침 안개를 헤치며 우유를 받으러 갈 때도, 거울을 보며 머리를 만지고 있으면서도, 립스틱을 바르면서도, 나는 항상 울었다. 어머니와 보낸 행복한 날의 여러 가지 일들이 그림처럼 떠올랐고 아무리 울어도 끝이 없었다. 저녁 무렵 날이 어두워지고 나서 중국풍 방 베란다에 나가서 오랫동안 훌쩍거리며 울었다. 가을 하늘에 별이 빛나고 있었고 발밑에 남의 집 고양이가 웅크리더니 움직이지 않았다.

다음 날 손의 부기浮氣는 어제보다도 더 악화되어 있었다. 아무것도 드시지 않았다. 귤로 만든 주스도 입이 헐어서 쓰라리다며 마실 수 없다고 말씀하셨다.

"어머니, 또 나오지의 그 마스크를, 해보시면 어때요?"

라고 웃으면서 말하려고 했는데 말하는 동안 괴로워지며 소리를 지르며 울고 말았다.

"매일 바빠서 힘들지. 간호사를 고용하렴."

라고 조곤조곤 말씀하셨지만 자신의 안위보다도 가즈코의 몸 생각을 하고 있다는 걸 잘 알았고, 더욱더 슬퍼지며 자리에서 일어나서 욕실로 달려가 목놓아 울었다.

오후가 조금 지나고 나오지가 미야케 님과 간호사 둘을 데려왔다.

언제나 농담만 하시던 노 선생님도 그때는 화가 나신 듯한 진지한 모습으로 빠르게 병실로 발을 옮기며 곧장 진찰을 시작하셨다. 그리고 준비하면서,

"많이 약해지셨군요."

라고 한 마디 낮게 말씀하시고 캄플Camphor[45]을 주사하셨다.

"선생님 묵으실 곳은?"

하고 어머니는 잠꼬대처럼 말씀하신다.

"이번에도 나가오카입니다. 예약했으니 걱정 없어요. 이 환자는 남의 일만 걱정하지 말고 좀 더 제멋대로 먹고 싶은 건

---

45) 멘솔이나 유칼립투스처럼 청량감 넘치는 상쾌한 향이 특징. 기분을 편안하게 해주는 효과도 있어 아로마테라피의 재료로 사용할 수도 있다.

뭐든 많이 드시도록 해야만 합니다. 영양가가 많은 걸 드시면 좋아집니다. 내일 다시 오겠습니다. 간호사를 한 명 두고 갈 테니 도움을 받으세요."

라고 노 선생님은 병상의 어머니를 향해 큰 소리로 말하고 나서 나오지에게 눈짓을 하고 일어났다.

나오지 홀로 선생님과 함께 간호사를 배웅하러 나갔고 이윽고 돌아온 나오지의 얼굴을 보니, 그건 울음이 터지는 걸 참고 있는 표정이었다.

우리는 살며시 병실에서 나와 부엌으로 갔다.

"가망 없는 거지? 그렇지?"

"말도 안 돼."

라고 나오지는 입을 일그러뜨리며 웃고,

"쇠약이 엄청 급격히 진행된 것 같대. 오늘 내일도 보장할 수 없다고 지껄이더라."

라고 말하면서 나오지의 눈에서 눈물이 쏟아져 내렸다.

"여기저기에, 전보를 치지 않아도 될까?"

나는 도리어 침착하고 차분하게 말했다.

"그건 외삼촌한테도 상담했지만 외삼촌은 요즘은 사람을 그렇게 모을 수 있는 시대가 아니래. 와준다고 해도 이런 좁은 집에서 맞이하는 건 도리어 실례거니와, 이 근방에는 제대로 된 숙소도 없고 나가오카의 온천에도 두어 개의 방도 예약할 수가 없대. 다시 말해 우리는 이미 빈곤해서 그런 높은 분을 부를 힘이 없어졌다는 거지. 외삼촌은 곧장 오겠지만 그 인간은 예전부터 쪼잔해서 의지가 되질 않아. 어젯밤에도 엄마의 병은 더는 안중에도 없는지 내게 이런저런 설교만 했지. 그런 놈팡이에게 설교 당하고 눈이 떠진 사람은 동서고금을 막론하고 전례가 없어. 누나와 동생 사이라지만, 엄마와 그놈은 그야말로 천양지차니까, 정말 지긋지긋해."

"하지만 나야 아무래도 좋지만 넌 앞으로 외삼촌께 의지해야만……."

"사양하겠어. 차라리 구걸하는 편이 낫지. 누나야말로 앞으로 외삼촌한테 잘 기대 보라고."

"난……."

눈물이 났다.

"난 갈 곳이 있어."

"혼담? 결정 났어?"

"아니."

"자립인가? 일하는 부인. 관두라고, 관둬."

"자립도 아니야. 난 말야, 혁명가가 될 거야."

"뭐라고?"

나오지는 기묘한 표정으로 날 쳐다보았다.

그때 미야케 선생님이 데려온 간호사가 날 부르러 왔다.

"부인이 무슨 할 말이 있는 모양입니다."

급하게 병실로 가서 이불 옆에 앉아,

"왜요?"

라고 얼굴을 가까이 붙이며 여쭸다.

그러나 어머니는 뭔가 말하고 싶어 하면서도 아무 말씀도 하지 않는다.

"물?"

하고 여쭸다.

희미하게 고개를 젓는다. 물도 아닌 것 같다.

얼마 후 작은 목소리로,

"꿈을 꿨어."

라고 말씀하셨다.

"그래요? 어떤 꿈?"

"뱀 꿈."

나는 경악했다.

"툇마루 디딤돌 위에 붉은 줄무늬가 있는 어미 뱀이 있을 거예요. 확인해 봐요."

나는 몸이 추워지는 듯한 기분으로 어느새 일어나 툇마루로 가서 유리문 너머를 보았더니 디딤돌 위에서 뱀이 가을 햇살을 받으며 길게 뻗어 있었다. 나는 어질어질 현기증이 났다.

'나는 널 알고 있다. 너는 그때와 달리 조금 커졌고 나이를 먹었지만 내가 불태운 알의 어미구나. 네 복수는 이미 절절하게 느끼고 있으니 저리로 가렴. 어서 저리로 가주렴.'

이렇게 마음속으로 읊으며 그 뱀을 보고 있었지만 뱀은 요지부동이었다. 나는 어째선지 간호사에게 이 뱀을 보이고 싶지 않았다. '탁' 소리를 내며 강하게 발돋움을 하여,

"없어요, 어머니. 꿈 같은 건 믿을 게 못 돼요."

라고 일부러 필요 이상의 큰 소리를 내면서 디딤돌 쪽을 힐끗거렸더니 뱀이 드디어 몸을 움직이며 돌에서 미끄러져 내려갔다.

이제 정말 글렀다고, 뱀을 보고 나서 처음으로 포기가 내 마음속 깊이 끓어올랐다. 아버지가 돌아가실 때도 머리맡에 검고 작은 뱀이 있었다고 했고, 이때 정원에 있던 나무라고 할 수 있는 모든 나무에 뱀이 얽혀 있었던 것을 나는 보았다.

어머니는 침상에서 몸을 일으킬 힘도 없어진 것인지 항상 꾸벅꾸벅 졸면서 몸을 완전히 간호사에게 맡기고, 식사는 목으로 거의 넘기지 못하는 모습이었다. 뱀을 보고 나서 나는 슬픔의 구렁텅이를 뚫고 지나간 마음의 평안이라고 부르면 좋

을까, 행복감과 유사한 마음의 여유가 생겼고 앞으로는 그저 가능한 한 어머니 곁에 붙어있으려고 했다.

다음 날부터 어머니의 머리맡에 딱 붙어 앉아 뜨개질 따위를 했다. 나는 뜨개질이든 재봉이든 남보다 훨씬 빨랐지만 서툴렀다. 그래서 언제나 어머니가 엉성한 부분을 하나하나 자상하게 알려주셨다. 그날도 딱히 뜨개질하고 싶은 기분은 아니었지만 어머니 곁에 딱 붙어있어도 부자연스럽지 않은 모습을 연출하려고 털실 상자를 꺼내어 무작정 뜨개질을 시작했다.

어머니는 내 손가를 가만히 바라보며,

"네 양말을 뜨는 거지? 그렇다면 거기서 여덟 코 늘리지 않으면 신을 때 꽉 낄 거야."

라고 말씀하셨다.

나는 어렸을 때 아무리 배워도 능숙해지지 못했지만 그때처럼 갈팡질팡하며 창피하기도 하고 그립기도 하면서, 아아 이제 이렇게 어머니에게 배우는 일도 없겠다고 생각하자 어느새 눈물이 앞을 가리며 뜨개질 코가 보이지 않았다.

이렇듯 어머니는 누워 계시면 전혀 괴로워 보이지 않았다. 오늘 아침부터 식사는 전혀 하지 않고 거즈에 차를 적셔 때때로 입을 적셔줄 뿐이었지만, 의식은 선명했고 때때로 내게 온화하게 말을 걸었다.

"신문에 폐하의 사진이 나와 있다고 하던데 한 번 더 보여주렴."

난 신문의 그 부분을 어머니의 얼굴 위로 가져갔다.

"늙으셨네."

"아뇨, 이건 사진이 잘 안 찍힌 거예요. 저번에 본 사진은 굉장히 젊으시고 생기 넘치셨어요. 도리어 이 시대를 기뻐하고 계시는 거겠죠."

"왜?"

"그야 폐하도 이번에 해방되었는걸요."

어머니는 쓸쓸한 듯이 웃으셨다. 그러고 나서 얼마 후,

"울고 싶어도 더는 눈물이 나지 않는 거야."

라고 말씀하셨다.

어머니는 지금 행복하지 않을 수 있겠다고 나는 문득 생각했다. 행복감이라는 건 비애의 강 깊은 곳에 잠겨 희미하게 빛나고 있는 사금 같은 것은 아닐까. 슬픔의 극치를 지나 신기하게 뿌옇게 빛나는 기분, 그것이 행복감이라는 것이라면 폐하도 어머니도, 그리고 나도 분명히 현재 행복했던 것이다. 조용한 가을 오전. 햇살이 부드러운 가을 정원. 나는 뜨개질을 멈추고 가슴 높이에서 빛나고 있는 바다를 바라보며,

"어머니. 저 지금까지 세상 물정에 매우 어두웠었네요."

라고 하며 좀 더 덧붙이고 싶은 게 있었지만 방구석에서 정맥 주사 준비 같은 걸 하고 있던 간호사가 듣는 것이 창피해서 말을 멈추었다.

"지금까지라니……."

라고 어머니는 가볍게 미소 짓고 되물으셨다.

"그러면 이제는 물정에 밝아졌니?"

나는 어째선지 얼굴이 새빨개졌다.

"물정은, 모르겠어."

라고 어머니는 시선을 돌리며 혼잣말처럼 작은 소리로 말씀하신다.

"난 모르겠어. 알고 있는 사람은 없는 게 아닐까? 아무리 시간이 지나도 다들 어린애예요. 아무것도 모른답니다."

그러나 나는 살아가야만 했다. 어린애일지도 모르지만 의존하고 있을 수만은 없었다. 나는 앞으로 세간과 싸워나가야만 한다. 아아, 어머니처럼 타인과 싸우지 않고 미워하거나 탓하지 않으며 아름답고 슬픈 생애를 끝내는 게 가능한 사람은, 어머니를 끝으로 앞으로 세상에는 존재하지 않는 게 아닐까. 죽어가는 사람은 아름답다. 산다고 하는 것. 살아남는다는 것. 그건 상당히 추하고 피 냄새를 풍기는 더러운 일인 것 같은 기분도 든다. 나는 임신 후 구멍을 파는 뱀의 모습을 다다미에 그려 보았다. 그러나 내게는 포기할 수 없는 것이 있다. 야비해도 된다. 살아남아서, 생각한 것을 이루기 위해 세간과 싸워나가자. 어머니가 결국 돌아가시면 내게 로맨티시즘이나 감상은 점차 사라지고, 방심의 끈을 놓을 수 없는 교활한 생명체로 변해갈 것 같은 기분이 들었다.

그날 오후가 지나고 내가 어머니 옆에서 입을 적셔드리고 있으려니 문 앞에 자동차가 멈췄다. 외삼촌이 외숙모와 함께 도쿄에서 자동차를 타고 방문하신 것이다. 외삼촌이 병실에 들어오시어 어머니의 머리맡에서 가만히 앉으니 어머니는 손수건으로 자신의 얼굴 아래 반을 감추고 외삼촌의 얼굴을 바라보며 우셨다. 그러나 울먹거리는 표정을 지으셨을 뿐으로 눈물은 나오지 않았다. 인형 같은 느낌이었다.

"나오지는 어디?"

라고 얼마 후 어머니는 날 보고 말씀하셨다.

나는 이 층에 가서 소파에 엎드려 신간 잡지를 읽고 있는 나오지에게,

"어머니가 부르셔."

라고 하자,

"으악, 또 수탄 장면愁歎場46)인가. 그대들은 잘도 참으며 그

곳에서 노력하고 있군. 신경줄이 두껍구려. 박정하군요. 나는 너무 괴로워서 마음은 실로 불이 나지만 육체는 나약하여 엄마 곁에 있을 기력이 나질 않는구려."

따위를 말하면서 겉옷을 걸치고 함께 이 층에서 내려왔다.

우리가 나란히 어머니의 머리맡에 앉자 어머니는 갑자기 이불 속에서 손을 꺼내더니 가만히 나오지 쪽을 손가락으로 가리킨 후 날 가리키고 그런 다음 외삼촌 쪽으로 얼굴을 돌리시고 양쪽 손바닥을 부딪치며 합장하셨다.

외삼촌은 고개를 크게 끄덕이며,

"아아, 알겠습니다. 알겠어요."

라고 말씀하셨다.

어머니는 안심한 것처럼 눈을 가볍게 감으시고 손을 이불 속으로 살며시 넣으셨다.

나도 울고 나오지도 고개를 숙이고 오열했다.

그때 노 선생님이 나가오카에서 오시어 주사부터 놓았다. 어머니도 외삼촌을 만나고 더는 여한이 없다고 생각하셨는지,

"선생님, 어서 편하게 해주세요."

라고 말씀하셨다.

---

46) 조루리, 가부키의 한 장면. 슬픔의 눈물을 흘리는 비극적인 장면을 뜻한다. 부모와 자식, 부부, 주종 간의 생이별, 사별 장면이 많다.

노 선생님과 외삼촌은 얼굴을 마주 보고 묵묵부답이었고, 눈에서 눈물이 반짝하고 빛났다.

나는 자리에서 일어나 부엌으로 가서 외삼촌이 좋아하는 기츠네 우동[47]을 만들어서 선생님, 나오지, 외숙모를 합하여 4인분, 중국풍 방으로 들고 가서 외삼촌이 사 오신 마루노우치 丸ノ内 호텔의 샌드위치를 어머니에게 보여드리고 머리맡에 두자,

"할 일이 많지."

라고 어머니는 작은 소리로 말씀하셨다.

모두 방에 모여 얼마간 잡담을 나누고 외삼촌과 외숙모는 오늘 밤 도쿄로 돌아가서 처리해야 하는 용무가 있다고 하며 내게 문병 위로금을 건네셨고, 미야케 님도 간호사와 함께 돌아갈 때 집에 붙여두고 가는 간호사에게 여러 가지 처치 방법을 분부하고, 아무튼 아직 의식은 분명하고 심장도 그리 나쁜 상태가 아니니까 주사만으로도 앞으로 사오일은 괜찮을 거라고 한 후, 그날은 다들 자동차를 타고 도쿄로 돌아갔다.

사람들을 배웅하고 방으로 돌아갔더니 어머니가 내게만 보이는 친근한 미소를 지으시며,

"할 일이 많아서 고생이었겠구나."

---

47) 유부를 얹은 우동.

라고 또다시 속삭이는 듯한 작은 목소리로 말씀하셨다. 그 얼굴은 활기가 넘치고 어쩐지 빛나고 있는 것처럼 보였다. 외삼촌을 만날 수 있어서 기뻤던 걸지도 모르겠다고 생각했다.

"아뇨."

나는 조금 들뜬 기분으로 빙그레 웃었다.

그리고 이것이 어머니와 나눈 최후의 대화였다.

그 후 두 시간도 채 지나지 않아 어머니는 돌아가셨던 것이다. 가을의 고요한 황혼, 간호사가 맥을 짚고 나와 나오지 단 두 명의 육친이 지켜보는 상황에서, 일본 최후의 귀부인이었던 아름다운 어머니가.

죽은 얼굴은 거의 다를 게 없었다. 아버지 때는 순식간에 안색이 변했지만 어머니의 얼굴색은 변하지 않고 숨만이 끊어졌다. 호흡이 끊어졌던 것도 확연하게 분별이 안 될 정도였다. 얼굴의 부기도 전날쯤부터 빠져 있었고 볼이 밀랍처럼 매끄러웠으며, 얇은 입술이 희미하게 일그러지며 웃음을 머금고 있는 것처럼 보이기도 하면서, 살아 있는 어머니보다 품위 있고 아름다웠다. 나는 피에타의 마리아[48]와 닮았다고 생각했다.

48) 미켈란젤로의 작품.

6

전투, 개시.

언제까지고 슬픔에 잠겨 있을 수만은 없다. 내게는 반드시 싸워야만 하는 것이 있었다. 새로운 윤리. 아니, 이렇게 말하면 위선 같다. 사랑, 그뿐이다. 로자가 새로운 경제학에 의존하지 않으면 살아갈 수 없었던 것처럼 지금 나는 사랑 하나에 매달리지 않으면 살아갈 수 없는 것이다. 예수는 이 세상에 존재하는 종교가, 도덕가, 학자, 권위자의 위선을 파헤치고, 신의 진정한 애정이라는 것을 조금도 주저 없이 있는 그대로 사람들에게 고하였기에, 열두 제자를 사방팔방으로 파견함에 있어서 제자들에게 사사한 말은 내 경우에도 관계가 전혀 없지는 않은 것으로 생각되었다.

「너희 주머니 안에 금은보화를 넣지 말라. 여행 보따리도, 두 장의 속옷도, 구두도, 지팡이도 가지지 말라. 보라, 내가 너희를 보내는 건 양을 늑대 속에 넣는 것과 같으니. 그러므로 뱀과 같이 지혜롭고 비둘기처럼 진실해지라. 사람들에게 주의하라. 그대들을 공회에 넘기고 회당에서 채찍질하리니. 또 너희가 나로 말미암아 사제들과 왕들 앞에 끌려가리니. 그들이 너희들을 넘긴 후, 무언가를 말할지 생각하며 고민하지 말지어다. 말해야만 하는 건 그때 하사할지니. 이것을 말하는 자는 너희들이 아닌 그 안에서 말씀하시는 너희 아버지의 영혼이리라. 나아가 너희들은 내 이름으로 말미암아 모든 인간에게 미움받으리. 그러나 끝까지 인내한 자는 구원받을지니. 이 마을에서 박해받아야만 할 때는 그 마을을 떠나라. 진정으로 너희에게 고하노니, 이스라엘의 마을을 모조리 순회하지 못한 사이에 인간의 아이는 올 것이니라.

육체는 죽여도 영혼을 죽이지 못한 자들을 두려워 말라. 육체와 영혼을 게헤나에서 멸한 자를 두려워하라. 이 땅에 평화를 가져오기 위해 왔다고 생각지 말라. 평화에 있지 아니하고 도리어 검을 가져오기 위하여 왔으니. 내가 온 것은 사람을 그 아비로부터, 딸을 그 어미로부터, 며느리를 그 시어머니로부터 분리하기 위함이니라. 인간의 원수는 집안사람일지니. 나보다도 아버지와 어머니를 더 사랑하는 자는 내게 합당하지 않고, 나보다도 아들과 딸을 더 아끼는 자는 내게 합당하지 않을지어다. 나아가 자기 십자가를 지고 나를 따르지 않는 자는 내게 합당하지 아니하니라. 생명을 얻으려는 자는 이를 잃을 것이요, 나를 위해 생명을 잃는 자는 이를 얻으리라.」[49]

전투, 개시.

만일 내가 연심 때문에 예수의 이 가르침 그대로를 반드시

49) 마태복음 10장.

지키리라고 맹세했다면 예수님은 질책하셨을까. '연심'은 왜 나쁘고 '사랑'은 어째서 좋은 건지 이해할 수 없다. 같은 것이라는 기분을 떨쳐낼 수 없다. 영문을 알 수 없는 사랑 때문에, 연심 때문에, 그런 슬픔 때문에 몸과 영혼을 게헤나에서 멸망 당하는 자. 아아, 나야말로 그렇다고 주장하고 싶은 것이다.

외삼촌들의 도움을 받아 이즈에서 어머니의 밀장密葬[50]을 한 후 정식 장례는 도쿄에서 끝마치고 나서 나오지와 나는 이즈의 산장에서 서로 얼굴을 마주해도 아무 말도 하지 않는 듯한, 이유를 알 수 없는 서먹서먹한 생활을 하였고, 나오지는 출판업의 자본금이라고 하며 어머니의 보석류를 전부 가져갔고, 도쿄에서 술을 질펀하게 마시다가 엄청난 병자처럼 새파랗고 창백한 얼굴로 흐느적거리며 이즈의 산장으로 돌아와 잤으며, 어느 날 젊은 댄서를 데려왔는데 그건 나오지도 조금 거북스러워 보이길래,

"오늘 나 도쿄에 가도 돼? 오랜만에 친구 집에 놀러 가고 싶어. 이틀이나 사흘 자고 올 테니까 집 잘 보고 있어. 밥은 저분께 부탁하도록 해."

---

50) 추후 일반인을 대상으로 한 정식 장례나 고별회를 전제로 하는 장례를 뜻한다. 후일 한 번 더 작별의 자리를 마련하기 위해 가족과 친척, 가까운 친구 등 제한된 관계자만 참석하는 것이 일반적이다.

나오지의 약점에 즉각 반응하며 이른바 뱀처럼 지혜롭게 가방에 화장품과 빵 따위를 채워 넣으며 극히 자연스럽게 그 사람을 만나러 상경할 수 있었다.

도쿄 교외, 쇼센 열차 오기쿠보荻窪역의 북쪽 입구에 하차해서 이십 분 정도 가면, 큰 사투를 벌인 후인 그의 새로운 거주지에 당도한다는 건 예전에 나오지에게 어찌어찌 주워들었다.

늦가을 찬 바람이 강하게 부는 날이었다. 오기쿠보 역에 내렸을 무렵에는 이미 주변이 어둑어둑했고 나는 길거리에서 사

니켄나가이

람을 붙잡고는 그가 사는 곳의 번지를 말해주고 어느 방향인지 들으면서 한 시간가량 어두운 교외의 노지를 헤맸고, 너무나도 불안하여 눈물이 났는데 그러는 사이에 자갈길의 돌에 걸려 넘어져 게타의 하나오鼻緒[51]가 끊어졌고 어찌하면 좋을지 몰라 오도카니 서 있는데, 문득 오른편의 니켄나가이二軒長屋[52] 중 한 채의 집 푯말이 밤눈임에도 하얗고

---

51) 조리, 나막신 등 개방형 신발에서 엄지와 검지 사이에 끼우는 끈을 가리킨다.
52) 벽 하나를 공유하여 두 채의 건물이 연결된 주거 형태.

뿌옇게 드러나며 그곳에 우에하라라고 적혀 있는 것 같아서, 한쪽 발은 다비만 신은 채로 그 집 현관으로 달려가 한 번 더 꼼꼼하게 푯말을 확인하였더니 우에하라 지로라고 명확하게 적혀 있었지만 집 안은 어두웠다.

어떻게 해야 할지 고민하며 또다시 꼼짝하지 않고 서서 몸을 던지는 기분으로 현관 격자문에 쓰러지듯이 바싹 달라붙어,

"계세요?"

라고 말하며 양손 손가락 끝으로 장지를 쓰다듬으며,

"우에하라 씨."

라고 작은 소리로 속삭여 보았다.

대답은 있었다. 그러나 그것은 여성의 목소리였다.

현관문이 안에서 열리고 갸름한 얼굴의 고풍스러운 향기가 나는, 나보다 서넛은 연하로 보이는 여성이 현관의 어둠 속에서 언뜻 웃음 지으며,

"누구세요?"

라고 묻는 그 어조에는 어떠한 악의나 경계도 없었다.

"저기, 그게."

그러나 나는 자신의 이름을 말할 타이밍을 놓치고 말았다. 이 사람에게만은 내 연심도 기묘하게 뒤가 켕기는 것 같았다.

쭈뼛거리며 거의 비굴하다고 해도 좋을 정도로,

"선생님은? 계세요?"

"아뇨."

라고 대답하고 안타깝다는 듯이 내 얼굴을 보며,

"하지만 가는 곳이야, 대체로……."

"먼 곳?"

"아뇨."

라고 재미있다는 듯이 한쪽 손을 입에 대고는,

"오기쿠보예요. 역 앞의 시라이시라고 하는 오뎅집에 가시면 아마도 행방을 알 수 있을 거예요."

나는 뛰어오를 것 같은 마음으로,

"아, 그래요."

"어머, 신발이."

권하는 대로 나는 현관 안으로 들어가 현관 마루굽틀에 앉아 부인으로부터 간이식 하나오라고 해야 할까, 하나오가 끊어졌을 때 가볍게 수선할 수 있는 가죽끈을 받아 게타를 고쳤고, 그사이에 부인은 촛불을 붙여 현관으로 가져오면서,

"죄송하게도 전구가 두 개 다 나가서요. 요즘 전구는 엄청 비싼 주제에 금방 나가서 못 쓰겠어요. 남편이 있으면 사 오라고 했겠지만 어젯밤도 그제 밤도 돌아오지 않아서 우린 이

대로 삼일 밤 무일푼이라 일찍 자고 있어요."

이처럼 끝없이 태평스럽게 웃으셨다. 부인의 뒤에는 열두어 살의 눈이 크고 타인을 많이 경계할 것 같은 느낌의 호리호리한 여자아이가 서 있다.

적. 나는 그렇게 생각하지 않지만 이 부인과 아이는 언젠가 나를 적이라고 생각하며 증오할 일이 생길 게 틀림없다. 그렇게 생각하면 내 연심도 단숨에 눈이 떠진 것 같은 기분이 들어, 신발을 고치고 일어나서 손을 맞부딪치며 양손의 먼지를 털어내면서 죄송스러운 마음이 맹렬하게 몸으로 밀려드는 분위기를 견디지 못하고, 방으로 뛰어 올라가 새까만 어둠 속에서 부인의 손을 잡고 울면 어떨까 생각하며 불안에 떨며 격렬하게 동요하였지만, 문득 그 후의 뻔뻔스러운, 뭐라고 형태를 잡을 수 없는 기분 나쁜 자신의 모습이 떠올라 불쾌해지며,

"고맙습니다."

라고 굉장히 정중하게 인사를 하고 밖으로 나와 늦가을 찬 바람을 맞으며 전투, 개시. 연모한다. 좋아해. 연모해. 사모해. 정말로 좋아. 정말로 사랑해. 방법이 없어. 좋아하니까, 연모하고 있으니까 방도가 없어. 그 부인은 분명 드물게 좋은 분이고 따님도 어여뻤지. 하지만 난 심판대에 세워져도 전혀 뒤가 켕기지 않아. 인간은 연정과 혁명을 위해 태어난 것이다.

신도 벌을 내리실 리가 없어. 난 눈곱만큼도 나쁘지 않아. 정말 좋아하니까 당당하게 그 사람을 만날 때까지 두 밤이든 세 밤이든, 야숙을 한다고 해도 반드시.

역 앞 시라이시라고 하는 오뎅가게는 곧장 발견하였다. 그러나 그 사람은 없었다.

"아사가야阿佐ヶ谷예요, 분명. 아사가야 역의 북쪽 입구를 똑바로 나가셔서, 어디 보자, 얼마 가다 보면 철물점이 있을 거니까요. 거기서 오른쪽으로 들어가서 아주 조금 더 가면 야나기야柳や라고 하는 작은 음식점이 있을 테니까요. 선생님 요즘 야나기야의 오스테おステ 씨와 열렬한 상태라서 죽치고 있지. 말도 못 해."

역에 가서 표를 산 후 도쿄행 쇼센 열차를 타고서 아사가야에서 내렸고, 북쪽 출구를 나와서 걷다가 철물점이 있는 곳에서 오른쪽으로 꺾어 조금 더 갔다. 야나기야는 죽은 듯이 적막했다.

"지금 막 돌아가셨는데 여럿이서 니시오기西荻의 치도리 아줌마 댁에 가서 밤새도록 마신다든가 그러셨습니다."

나보다도 젊고 차분하고 품위 있고 친절해 보이는, 이것이 오스테 씨라고 하는 그 사람과 열렬하다고 하는 사람일까.

"치도리? 니시오기의 어디 부근?"

불안한 마음에 눈물이 날 것 같았다. 지금 내 마음이 망가져 있는 게 아닐까 문득 생각했다.

"잘은 모르겠지만요. 아마도 니시오기 역에서 내려서 남쪽 출구에서 왼쪽으로 들어간 곳이라든가. 일단 경찰서에 들러 물어보면 아실 수 있지 않겠습니까. 아무튼 한 장소에만 머무르지 않는 사람이고 치도리에 가기 전에 또 어딘가로 빠졌을지도 몰라요."

"치도리에 가 보겠습니다. 안녕히 계세요."

다시 원점. 아사가야에서 쇼센 열차로 다치카와立川 행을 타고 오기쿠보, 니시오기쿠보, 역의 남쪽 출구에서 내려 늦가을 찬 바람을 맞으면서 이리저리 헤매며, 파출소를 발견하고 치도리의 방향을 물어 알려준 대로 밤길을 달리듯이 서두르며 치도리의 파란 등롱을 발견하고 주저함 없이 격자문을 열었다.

봉당이 있고 바로 앞에 6조 크기 정도의 방이 있었으며, 담배 연기로 시야가 몽롱하였고 열 명 정도의 인간이 커다란 식탁을 둘러싸고 북적북적 떠들썩한 술판을 벌이고 있었다. 나보다 젊어 보이는 아가씨도 세 명 섞여서 담배를 피우고 술을 마시고 있었다.

나는 봉당에 서서 둘러 보다가 드디어 발견했다. 그리고 꿈

꾸는 듯한 기분이 들었다. 아니다. 여섯 해. 이미 완전히 다른 사람이 되어 있었다.

이것이 나의 무지개, M.C. 내 삶의 보람인 그 사람이란 말인가. 여섯 해. 봉발蓬髮[53]은 예전 그대로였지만 가엽게도 불그스름하게 엷어져 있고, 얼굴은 누렇게 뜨고 눈가가 붉게 짓물렀으며, 앞니가 빠지고 끊임없이 입을 오물거리며 한 마리의 늙은 원숭이가 등을 동그랗게 말고 방 한쪽 구석에 앉아 있는 느낌이었다.

아가씨 중 한 명이 날 발견하고 눈짓으로 우에하라 씨에게 내가 왔다는 걸 알렸다. 그 사람은 앉은 채로 길고 가느다란 목을 뻗으며 내 쪽을 보더니 아무런 표정도 없이 턱으로 올라오라는 신호를 보냈다. 좌중은 내게 아무 관심도 없는 것처럼 북적거리며 여전히 떠들썩했고, 그런 상황에서도 조금씩 자리를 좁히며 우에하라 씨의 바로 오른쪽 옆에 내 자리를 만들어 주었다.

나는 아무 말 없이 앉았다. 우에하라 씨는 내 컵에 술을 적당하게 부어주었고 자기 컵에도 술을 따르고는,

"건배."

라고 쉰 목소리로 낮게 말했다.

---

53) 덥수룩하게 흐트러진 머리털.

두 개의 컵이 약하게 맞닿으며 슬픈 소리가 났다.

기로틴, 기로틴, 술술술이라고 누군가가 말했고 그에 대답하듯이 한 명이 기로틴, 기로틴, 술술술이라고 말하며 소리 높여 컵을 맞부딪치고 꿀꺽꿀꺽 마셨다. 기로틴, 기로틴, 술술술, 기로틴, 기로틴, 술술술이라고 여기저기에서 엉터리 같은 구절이 만연하며 성대하게 컵을 부딪치며 건배를 주고받고 있다. 완벽히 반 장난스러운 리듬으로 탄력을 받으며 무리하게 술을 목구멍에 넣고 있는 모습이었다.

"이만 실례."

라고 하며 비틀거리면서 돌아가는 사람이 있다 싶었더니 또 다시 새로운 손님이 느릿느릿 들어와서 우에하라 씨에게 가볍게 고개 숙여 목례만 하고서 좌중으로 섞여들었다.

"우에하라 씨, 그거 있잖아요. 우에하라 씨, 그거 말이에요. '아아아'라는 거 말인데 그건 어떤 식으로 말하면 좋을까요? '아, 아, 아' 이렇게요? '아아, 아' 이거예요?"

라고 상체를 내밀고 묻고 있는 사람은 분명히 나도 무대에서 얼굴을 본 적이 있는 신인 배우인 후지타藤田였다.

"아아, 아. 이거야. 아아, 아, 치도리의 술은, 싸지 않아, 라고 하는 식의 안배로."

라고 대답하는 우에하라 씨.

"맨날 돈 이야기."

라는 아가씨.

"두 마리의 참새는 1전이라니 그건 쌉니까, 비쌉니까?"

라는 젊은 신사.

"한 푼도 빠짐없이 변상해야 한다는 말도 있듯이 혹자에겐 5탤런트, 혹자에겐 2탤런트, 혹자에겐 1탤런트처럼 꽤나 성가신 우화도 있고, 그리스도도 셈엔 꽤나 까다롭단 말이야."

라는 다른 신사.

"거기다 그놈은 술꾼이었지. 묘하게 바이블에는 술에 대한 우화가 많다 싶었더니 아니나 다를까. 보라니까, 술을 즐기는 사람이라면서 비난받았다고 바이블에 적혀 있어. 술을 먹는 사람이 아니라 술을 즐기는 사람이라고 하니 상당히 많이 마시는 주당이었던 게 분명하지. 우선 한 되[54] 마실까."

라고 다시 한 명의 신사.

"됐어, 됐어. 아아, 아, 그대들은 도덕을 두려워하며 예수를 방편으로 삼지 말지어니. 치에야, 마시자. 기로틴, 기로틴, 술술술."

라는 우에하라 씨, 가장 젊고 아름다운 아가씨와 강하게 컵을 부딪치며 꿀꺽꿀꺽 목으로 넘기다가 술이 입아귀에서 뚝뚝

---

54) 1.6 kg.

떨어졌고, 턱이 젖었는데 그것을 자포자기한 것처럼 난폭하게 손바닥으로 닦아내고 나서 크게 재채기를 대여섯 번이나 연이어서 하셨다.

나는 살며시 일어나 옆 방으로 가서 병자처럼 창백하고 마른 여주인에게 화장실을 물었고, 다시 돌아오는 길에 그 방을 지났더니 조금 전 가장 예쁘고 젊은 치에라고 하는 아가씨가 날 기다리고 있었다는 듯한 모습으로 서서,

"시장하지 않으세요?"

라고 친절하게 웃음 지으며 물었다.

"네, 하지만 전 빵을 갖고 왔거든요."

"아무것도 없지만요."

라고 병자 같은 여주인은 나른한 듯이 다리를 옆으로 모으고 앉아서 직사각형 화로에 기댄 채로 말한다.

"이 방에서 식사하세요. 저런 주정뱅이를 상대하고 있으면 하룻밤 내내 아무것도 먹지 못해요. 앉으세요, 여기에. 치에코 씨도 함께."

"이봐, 기누. 술이 없어."

라고 옆에서 신사가 외친다.

직사각형 화로

"네이, 네이."

라고 대답하고 기누라고 하는 서른 살 전후의 '이키粋[55]'한 줄무늬 기모노를 입은 여종업원이 술병을 쟁반에 열 개쯤 올리고 부엌에서 나타났다.

"잠시."

라고 여주인은 불러세우더니,

"여기에도 두 병."

하고 웃으면서 말하고는,

"그리고 말야, 기누. 미안하지만 뒤쪽 스즈야 씨한테 가서 우동을 두 그릇, 서둘러서."

나와 치에는 화로 곁에 나란히 앉아서 손을 쬐고 있었다.

"이불을 좀 덮으세요. 추워졌네요. 뭔가 마실래요?"

여주인은 자신의 밥그릇에 술을 따르고 나서 다른 두 개의 밥그릇에도 술을 따랐다.

그리고 우리 세 명은 묵묵히 마셨다.

"다들, 강하시네요."

라고 여주인은 어째선지 침울한 어조로 말했다.

---

55) 에도시대에 생겨나 시대에 따라 변화한 미의식을 뜻한다. 유흥장소에서의 기개, 옷차림이나 행동이 세련된 것, 여성의 성적 매력 등을 나타내는 단어이다. 나아가 단순한 아름다움에 대한 지향, 서민의 생활에서 탄생한 미의식을 말한다.

드르륵거리며 앞문이 열리는 소리가 들리고,
"선생님, 가져 왔습니다."
라고 하는 젊은 남자의 소리가 나며,
"아무튼 우리 사장은 빈틈이 없으니까요. 2만 엔이라고 하며 버텼지만 겨우 1만 엔."
"수표인가?"
라고 우에하라 씨의 쉰 목소리.
"아뇨, 현금이에요. 죄송합니다."
"흐음, 됐어. 영수증을 쓰지."
그사이에도 '기로틴, 기로틴, 술술술'이라는 건배하는 소리가 좌중에서 끊어지는 일 없이 계속되고 있다.
"나오 씨는?"
하고 여주인은 진지한 얼굴로 치에에게 묻는다. 나는 심장이 덜컥했다.
"몰라요. 나오 씨가 파수꾼도 아니고."
라고 치에는 당황하며 얼굴을 가련하게 붉혔다.
"최근 우에하라 씨와 안 좋은 일이라도 있었던 거 아냐? 매번 함께 왔었는데."
라고 여주인은 차분하게 말한다.
"댄스 쪽이 좋아졌다던데요. 댄서인 연인이라도 생긴 거겠죠."

"나오 씨도 참, 뭐 술 다음에 다시 여자라니 성격도 참."

"선생님의 가르침이거든."

"하지만 나오 씨가 더 나쁘지. 저런 도련님 종자는……."

"저어."

나는 미소 지으며 끼어들었다. 가만히 있어서는 도리어 이 둘에게 실례가 될 것 같았던 것이다.

"전 나오지의 누나예요."

여주인은 놀란 듯이 내 얼굴을 다시 보았지만 치에는 아무렇지도 않게,

"얼굴이 많이 닮으셨는걸요. 저기 어두운 봉당에 서 계신 걸 보고 문득 생각했어요. 나오 씨가 아닌가 하고."

"그러셨습니까."

라고 여주인은 어조를 바꾸며,

"이런 누추한 곳에 어쩐 일로. 그래서? 저 우에하라 씨와는 전부터?"

"네, 여섯 해 전에 만나 뵙고……."

말이 막히며 고개를 숙이고 눈물이 날 것 같았다.

"기다리셨습니다."

여종업원이 우동을 들고 왔다.

"따뜻할 때 드세요."

라고 여주인이 권했다.

"잘 먹겠습니다."

우동의 온기에 얼굴을 들이박고 면을 목으로 넘기며 나는 지금이야말로 살아 있다는 것의 울적한 극한을 맛보고 있는 것 같았다.

'기로틴, 기로틴, 술술술. 기로틴, 기로틴, 술술술'이라고 낮게 읊조리면서 우에하라 씨가 우리 방에 들어와 내 옆에 털썩 주저앉아 아무 말 없이 여주인에게 큰 봉투를 건넸다.

"이거 가지고 남은 걸 얼버무리면 안 돼요."

여주인은 봉투 안을 보지도 않고 그것을 화로의 서랍에 집어넣으며 웃으면서 말한다.

"가져올게. 다음 지불은 내년이다."

"저런."

1만 엔. 그것만 있으면 전구를 얼마든지 살 수 있을 텐데. 나도 그것만 있으면 한 해 동안 편하게 살 것이다.

아아, 어쩐지 이 사람들은 잘못하고 있어. 하지만 이 사람들도 내 연심처럼 이렇게라도 하지 않으면 살아갈 수 없는 걸지도 모른다. 인간은 이 세상에 태어난 이상, 어떻게 하든 살아내야만 하는 것이라면 이들의 살아내기 위한 모습도 증오해야 할 것은 아닐지도 모른다. 살아 있는 것. 살아 있다는 것. 아아, 그건 이다지도 견뎌낼 재간이 없는, 숨마저 끊어질 듯 간당간당한 대사업일까.

"아무튼 말야."

라고 옆방의 신사가 말씀하신다.

"앞으로 도쿄에서 생활해 가려면 말야, '안녕하심까'라고 하는 심히 경박한 인사를 아무렇지도 않게 내뱉을 수 있어야만 가능할 테지. 현재 우리에게 중후하니 성실하니 그런 미덕을 요구하는 건 목매는 이의 다리를 잡아당기는 것과 같다고. 중후? 성실? 퇴, 툇. 집어치우라지. 살아갈 수 있을 턱이 없잖은가. 만일 말야, '안녕하심까'를 가볍게 말할 수 없다면 나중엔 길이 세 가지밖에 없어. 하나는 귀농, 또 하나는 자살, 남은 하나는 여자의 정부지."

"이것도 불가능한 가여운 놈들에겐 최후라고 할 수 있는 유일하게 남은 수단."

하고 다른 신사가,

"우에하라 지로에게 붙어서 거하게 술을 때리는 거지."

기로틴, 기로틴, 술술술. 기로틴, 기로틴, 술술술.

"살 곳이 없잖아."

라고 우에하라 씨는 낮은 목소리로 혼잣말처럼 말씀하신다.

"저요?"

나는 내게 낫처럼 굽은 목을 쳐들었던 뱀을 의식했다. 적의. 그에 가까운 감정으로 나는 자신의 몸을 경직시켰던 것이다.

"혼숙이 가능하겠어? 춥다고."

우에하라 씨는 내 분노에 신경 쓰지 않고 중얼거린다.

"안 되겠죠."

라고 여주인은 끼어들며,

"가여워요."

우에하라 씨는 혀를 차며,

"그러면 이런 곳에 오지 않으면 되잖아."

나는 가만히 있었다. 이 사람은 분명히 내 편지를 읽었다. 그리고 누구보다도 날 사랑하고 있다고, 나는 그가 말하는 분위기에서 재빠르게 짐작했다.

"별수 없잖아. 후쿠이 씨 댁에라도 부탁해 볼까. 치에, 데려가 주지 않을래. 아니, 여자만 보내면 가는 길이 위험한가. 성가시네. 이모님 이 사람 신발을 뒷문 쪽으로 가져와 줘. 내가 동행할 테니까."

바깥은 심야의 기운이 만연하였다. 바람은 잠잠해지고 하늘에는 온통 별이 빛나고 있었다. 우리는 나란히 걸으면서,

"저, 혼숙이든 뭐든 할 수 있었는데."

우에하라 씨는 나른한 목소리로,

"그래."

라고만 말했다.

"단둘이 되고 싶었던 거죠. 그렇죠?"

내가 그렇게 말하며 웃었더니 우에하라 씨는,

"이러니까 싫다고."

라고 입을 일그러뜨리며 씁쓸하게 웃으셨다. 난 자신이 상당히 귀여움받고 있다는 것을 몸에 스미듯 의식했다.

"술을 많이 드셨네요. 매일 밤 이러세요?"

"그래, 매일. 아침부터지."

"맛있어요? 술이."

"맛없어."

그렇게 말한 우에하라 씨의 목소리에 나는 어째선지 오싹해졌다.

"일은?

"안 됩니다. 뭘 써도 바보 같아서. 그리고 그저 슬퍼서 더는 견딜 수가 없어. 생명의 황혼. 인류의 황혼. 예술의 황혼. 그것도 거슬리는군."

"위트릴로Maurice Utrillo.[56]"

나는 거의 무의식적으로 그렇게 말했다.

"그래, 위트릴로. 아직 살아 있다는 것 같더군. 알코올의 망자. 시체지. 최근 십 년간 그놈의 그림은 이상하게 세속적이라서 전부 못 쓰겠어."

"위트릴로뿐만이 아니죠? 다른 마이스터들도 전부……."

"그래, 쇠약. 하지만 새로운 싹도 싹인 상태 그대로 쇠약해지고 있습니다. 서리. 프로스트Frost. 온 세계에 느닷없이 서리가 내린 것 같습니다."

우에하라 씨는 내 어깨를 가볍게 감싸 안았고 내 몸은 우에하라 씨의 두 겹 소매로 감싼듯한 모습이 되었으나, 나는 거부하지 않고 도리어 바싹 달라붙어 천천히 걸었다.

길가 수목들의 가지. 이파리가 한 장도 붙어있지 않은 가지가 가늘고 날카롭게 밤하늘을 찌르고 있었고,

"나뭇가지란 게 참 아름답네요."

라고 생각지도 못한 것처럼 말했더니,

"그래, 꽃과 새까만 가지의 조화가."

라고 조금 당황한 것처럼 말씀하셨다.

"아뇨, 저는 꽃도 잎도 싹도, 아무것도 붙어있지 않은 그런

---

56) 50년 동안 몽마르트를 중심으로 파리의 시적인 풍경을 그려온 그는 소년 시절 알코올 중독 치료를 위해 의사의 권유로 붓을 잡은 것이 화가의 길로 들어서게 된 계기였다.

가지가 좋아요. 그러면서도 제대로 살아 있잖아요. 삭정이와 다르죠."

"자연만은 쇠약하지 않는가."

그렇게 말하고 다시 격렬하게 재채기를 몇 번이고 몇 번이고 반복하셨다.

"감기 아니신가요?"

"아뇨, 그렇진 않습니다. 실은 이건 내 괴이한 버릇이라서 술에 취하는 게 포화점에 다다르면 곧장 이런 식으로 재채기가 나옵니다. 취기의 바로미터 같은 거죠."

"연심은?"

"네?"

"누군가 계신가요? 포화점까지 진행된 분이."

"뭐야, 놀리면 안 되지. 여자는 모두 똑같아. 복잡해서 영문을 모르겠어. 기로틴, 기로틴, 술술술. 실은 한 명 아니, 반 명 정도 있지."

"제 편지 보셨나요?"

"봤지."

"대답은?"

"난 귀족은 싫어. 아무래도 어딘가 아니꼽고 역겨운, 오만한 부분이 있지. 당신 동생 나오지도 귀족으로서는 훌륭한 남자지만 때때로 절대로 교류할 수 없는, 견딜 수 없는 시건방진 부분을 보이곤 하지. 난 시골 농민의 자식이라서 말야. 이런 작은 시내 옆을 지나면 반드시 어렸을 적 고향의 작은 시내에서 부어를 잡았던 일이나 송사리를 퍼 올렸던 걸 떠올리며 형언할 수 없는 기분이 들지."

어둠 깊은 곳에서 희미하게 소리를 내며 흐르고 있는 작은 시내를 따라 난 길을 우리는 걷고 있었다.

"그렇지만 당신네 귀족은 그런 우리의 감성을 절대로 이해할 수 없을 뿐 아니라 경멸하고 있잖아."

"투르게네프Turgenev[57]는?"

"그놈은 귀족이지. 그래서 싫어."

"하지만 사냥꾼의 수기……."

"그래, 그것만은 좀 잘 썼지."

"그건 농촌 생활의 감상……."

"그놈은 시골 귀족이라는 식으로 타협할까."

"저도 지금은 시골에 사는 사람이에요. 밭을 경작하고 있어요. 시골 가난뱅이."

"지금도 내가 좋나."

---

57) 도스토옙스키, 레프 톨스토이와 더불어 19세기 러시아 문학을 대표하는 문호. 러시아 제국의 귀족.

난폭한 어조였다.

“내 아이를 낳고 싶은가.”

나는 대답하지 않았다.

바위가 떨어져 내리는 듯한 기세로 그 사람의 얼굴이 가까워지며 강제로 키스 당했다. 성욕의 향기가 나는 키스였다. 나는 그것을 받으면서 눈물을 흘렸다. 굴욕적이고 억울한 눈물과 닮은 씁쓸한 눈물이었다. 눈물은 끝없이 눈에서 흘러내렸다.

다시 나란히 걸으며,

“실수했다. 반해버렸다.”

라고 그 사람은 말하며 웃었다.

그러나 나는 웃을 수 없었다. 미간을 찌푸리며 입을 오므렸다.

별수 없다.

말로 표현하자면 그런 느낌이었다. 나는 내가 신발을 끌어가며 거친 걸음걸이를 옮기고 있음을 알았다.

“실수했다.”

라고 그 남자는 또다시 말했다.

“갈 수 있는 데까진 가 볼까.”

“걱정스럽네요.”

"이놈."

우에하라 씨는 내 어깨를 주먹으로 치며 다시 크게 재채기를 하셨다.

후쿠이 씨라고 하는 분의 자택 사람들은 다들 이미 자고 있는 모습이었다.

"전보, 전보. 후쿠이 씨, 전보요."

라고 큰 소리로 우에하라 씨는 현관문을 두드렸다.

"우에하라인가?"

라고 집 안에서 남자의 목소리가 났다.

"그렇습니다. 프린스와 프린세스가 하룻밤 신세를 지려고 왔지. 아무래도 이렇게 추우면 재채기만 나서 특별한 연정 행로도 코미디가 되고 말아."

현관문이 안에서 열렸다. 오십은 넘었을 정도의, 머리가 벗겨진 왜소한 체격의 아저씨가 화려한 파자마를 입고 이상하게 부끄러워하는 듯한 웃음으로 우리를 맞았다.

"들어갑니다."

라고 우에하라 씨는 한 마디를 남기고 망토도 벗지 않고서 곧장 집 안으로 들어가더니,

"아틀리에는 추워서 안 돼. 이 층을 빌리도록 하지. 이리 와."

내 손을 잡고 복도를 지나 막다른 곳의 계단을 올라가서 어두운 방으로 들어가더니 방구석에 있는 스위치를 올렸다.

"요릿집 개인실 같네."

"그래, 졸부 취미지. 그래도 저런 미숙한 그림쟁이에겐 아깝지. 악운이 강해서 재해를 입지도 않아. 이용해도 돼. 자, 이제 자자."

자기 집처럼 멋대로 서랍장을 열어 이불을 꺼내어 깔고,

"여기에서 주무십시오. 난 돌아가지. 내일 아침 데리러 오겠습니다. 화장실은 계단을 내려가서 오른쪽입니다."

'다다다다닥' 하는 소리를 내며 계단에서 굴러떨어지듯이 요란스럽게 아래로 내려가는 소리가 들린 후 그대로 정적에 휩싸였다.

나는 다시 스위치를 내려 전등을 끄고, 아버지가 외국 현지의 천으로 만든 비로드 코트를 벗고 오비만 풀고서 기모노를 입은 채 그대로 잠자리에 들었다. 지쳐 있는 데다 술을 마셨던 탓인지 몸이 나른해서 곧장 선잠이 들었다.

어느샌가 그 사람이 내 옆에 누워 있었고, ……나는 한 시간 가까이 필사적인 무언의 저항을 했다.

문득 서글퍼지며 포기하였다.

"이렇게 하지 않으면 안심이 안 되죠?"

"뭐, 그런 참이지."

"당신, 몸이 안 좋으신 거 아닌가요? 각혈하셨죠."

"어째서 아는 거지? 실은 저번에 꽤 심하게 토해냈지만 아무한테도 말하지 않았는데."

"어머니께서 돌아가시기 전과 똑같은 향기가 나는걸요."

"죽을 생각으로 마시고 있어. 살아 있는 게 슬퍼서 견딜 수가 없거든. 울적함이니, 적적함이니 그런 여유로운 게 아니라 정말 슬퍼. 음침하고 한탄스러운 한숨이 사방 벽에서 들려올 때 나만의 행복 따위가 있을 턱이 없지 않은가. 자신의 행복도, 영광도 살아 있는 동안에는 결코 없으리라는 걸 깨달았을 때, 인간은 어떤 마음이 들 것인가. 노력. 그런 건 그저 굶주린 야수의 먹잇감이 될 뿐이야. 비참한 인간이 너무 많아. 거슬리는가."

"아뇨."

"연정뿐이지. 네 편지의 내용 그대로야."

"그래요."

그 연심은 사라졌다.

날이 밝았다.

방이 어스름해지며 나는 옆에서 자는 그 사람의 얼굴을 찬찬히 바라보았다. 곧 죽을 사람 같은 얼굴이었다. 지쳐서 곤

죽이 된 얼굴이었다.

희생자의 얼굴. 존귀한 희생자.

내 사람. 나의 무지개. 마이 차일드. 밉살스런 사람. 교활한 사람.

이 세상에 다시 없을 정도로 너무나, 너무나도 아름다운 얼굴 같았고 연심이 새삼 되살아난 것처럼 가슴이 두근거리며, 그 사람의 머리카락을 쓰다듬으며 내가 먼저 키스했다.

너무나도 서글픈 성취된 연심.

우에하라 씨는 눈을 감으며 날 껴안더니,

“삐뚤어졌던 거야. 난 농부의 자식이니까.”

이제 이 사람 곁에서 떨어지지 않아야겠다.

“난 지금 행복해요. 사방 벽에서 한탄하는 소리가 들려온대도 지금 당장의 행복한 느낌은 포화점에 도달했어요. 재채기가 나올 정도로 행복해요.”

우에하라 씨는 살며시 웃으며,

“하지만 이미 늦었어. 황혼이다.”

“아침이네요.”

동생인 나오지는 그날 아침에 자살하고 있었다.

나오지의 유서.

누님.

안 되겠어. 먼저 갈게.

난 자신이 어째서 살아 있어야만 하는지 그걸 전혀 이해할 수가 없습니다.

살고 싶다는 사람만 살면 돼.

인간에게는 살 권리가 있음과 동시에 죽을 권리도 있을 겁니다.

제 이런 생각은 전혀 새롭지도 않은, 너무도 당연하며 지극히 프리미티브Primitive[58]한 것이고, 사람들은 이상하게 두려워하며 명확하게 입에 담지 않을 뿐입니다.

살아가고 싶은 사람은 무슨 일을 해도 반드시 강하게 살아남아야만 하고, 그것은 참으로 훌륭하며 인간의 영광스러운 왕관이라고 할 수 있는 것도 분명 그 언저리 어느 지점에 있을 테지만, 죽는 것도 죄는 아니라고 생각합니다.

전, 저라고 하는 풀은 이 세상 공기와 태양 속에서 살기 힘듭니다. 살아가기에는 나사 하나가 빠져 있습니다. 부족합니다. 지금까지 살아온 것도, 이래 봬도 있는 힘을 다했습니다.

---

58) 원시적인, 기본적인.

전 고등학교에 들어가 제가 자라온 계급과 전혀 다른 계층에서 자라온 강하고 듬직한 풀인 친구들과 처음으로 교제하며 그 기세에 눌리지 않겠다고 마약을 하여 반미치광이가 되어 저항했습니다. 그리고 군인이 되었고 거기서도 살아가기 위한 최후의 수단으로 아편을 사용했습니다. 누님은 이런 내 기분을 모르겠지.

난 상스러워지고 싶었어. 강하게, 아니 우악스러워지고 싶었어. 그리고 그게 이른바 민중의 친구가 될 수 있는 유일한 길이라고 생각했습니다. 술 정도로는 될 게 아닙니다. 항상 어질어질 눈이 돌아가지 않으면 안 됐습니다. 그러기 위해서는 마약 이외에는 방법이 없었습니다. 전 집을 잊어야만 했습니다. 아버지의 피에 반항해야만 했습니다. 어머니의 상냥함을, 부정해야만 했습니다. 누나에게 차갑게 대해야만 했습니다. 그러지 않으면 민중의 방에 들어갈 입장권을 얻을 수가 없다고 생각했습니다.

전 상스러워졌습니다. 상스러운 말투를 쓰게 되었습니다. 그러나 반은, 아니 육십 퍼센트는 가련한 모조 칼이었습니다. 서툰 잔꾀였습니다. 민중에게 저는 여전히 거슬리고 젠체하는 거북스러운 놈이었습니다. 그들은 저에게 마음을 터놓고 상대해주지 않습니다. 그러나 이제 와서 버린 살롱으로 돌아가는 것도 불가능합니다. 지금 제 상스러움은, 설사 육십 퍼센트는 인공적인 모조품에 불과할지라도 남은 사십 퍼센트는 진정한 것입니다. 저는 이른바 상류 살롱의 아니꼽고 역겨운 품위에는 구역질이 날 것 같아 한시도 견딜 수 없게 되었고, 위세가 좋거나 높은 양반이라고 불리는 사람들도 채신머리없는 제 행동에 질려 곧장 추방하겠죠. 버린 세계로 돌아가는 것도 불가능하고 민중으로부터는 악의로 넘치는 더럽게 정중한 방청객 자리를 받았을 뿐입니다.

어떤 세상에서든 저처럼 생활력이 약하고 결함 있는 풀은 사상도 개똥도 없이 그저 스스로 소멸할 뿐인 운명일지도 모르겠지만, 제게도 조금은 이의가 있습니다. 저로서는 진정으로 살기 어려운 사정을 느끼고 있습니다.

인간은 모두 동일하다.

이건 대체 무슨 사상입니까. 전 이 신기한 말을 발안한 사람은 종교가도 철학자도 예술가도 아닌 것 같습니다. 민중의 술자리에서 솟아난 말입니다. 구더기가 들끓는 것처럼 어느 순간 누군가 말을 꺼낸 것도 아니라 쥐도 새도 모르게 끓어올라와 전 세계를 뒤덮고 세계를 거북스럽게 만들었습니다.

이 신기한 말은 민주주의나 마르크스주의와도 전혀 관계가 없는 것입니다. 그것은 반드시 술자리에서 추남자가 미남자를 향해 던지는 말입니다. 단순한 화풀이입니다. 질투입니다. 사상이고 뭐고 아무것도 아닙니다.

그러나 술자리에서의 질투 어린 노성이 괴이하게도 사상 거죽을 뒤집어쓴 얼굴을 하고 민중 사이를 누비며, 민주주의나 마르크스주의와는 전혀 관계없는 말이면서도 어느새 정치 경제 사상과 얽히며 기묘하고 비열하게 안배되고 말았습니다. 이런 엉터리 같은 헛소리를 사상으로 바꿔치기하는 곡예는 양심에 찔린 나머지 메피스토펠레스조차 주저했을지도 모를 일입니다.

인간은 모두 동일하다.

어찌 이다지도 비굴한 말일 수 있는가. 인간을 멸시함과 동시에 자신마저도 멸시하여, 그 어떤 프라이드도 없이 모든 노력을 포기하게 만드는 말. 마르크스주의는 일하는 자의 우위를 주장한다. 동일하다 따위를 말하지 않는다. 민주주의는 개인의 존엄을 주장한다. 동일하다 따위를 말하지 않는다. 오직 유곽 호객꾼만 그렇게 말한다. “헤헷, 아무리 잘난체해 봤자 같은 인간이 아닌가.”

어째서 같다고 하는가. 우수하다고 하지 않는가. 노예근성의 복수.

그러나 이 말은 실로 외설스럽고 불쾌하며 사람은 서로에 대해 두려워하고, 모든 사상이 범해지고 노력은 조소 받으며 행복은 부정당하고, 미모는 모독당하고 영광은 바닥으로 끌어 내려지고 이른바 '세기의 불안'은 이 신기한 한 마디로부터 파생되었다고 저는 생각합니다.

끔찍한 말이라고 생각하면서도 저 역시 이 말에 위협당하여 두려움에 떨며 무얼 하려고 해도 겸연쩍고 견딜 수 없는 불안으로 조마조마하며 몸 둘 곳이 없었으며, 차라리 술이나 마약에 의한 의식의 몽롱함에 기대어 찰나의 안정을 얻고 싶은 마음에 엉망이 되고 말았습니다.

약한 거겠죠. 어딘가 하나 중대한 결함이 있는 풀이겠죠. 그러한 논리를 늘어놓아봤자 '헛소리. 본래부터 노는 걸 좋아하는 거지. 게으름뱅이에, 엽색가에, 자유분방한 방탕아.'라고 유곽 호객꾼이 코웃음을 치며 말할지도 모릅니다. 그리고 그런 말을 들어도 지금까지는 그저 겸연쩍은 마음에 애매하게 긍정하고 있었으나, 저도 죽음을 앞두고 한 마디 저항다운 말을 해두고 싶습니다.

누님.

믿어주세요.

저는 놀아도 조금도 즐겁지 않았습니다. 쾌락의 발기부전 Impotenz인지도 모릅니다. 저는 그저 귀족이라고 하는 자신의 그림자에서 벗어나고 싶어 회까닥하고, 놀면서 거칠어졌습니다.

누님.

과연 우리에게 죄가 있는 것입니까. 귀족으로 태어난 건 우리의 죄입니까. 그저 그런 집에서 태어났을 뿐인데 우리는 영원히 유대인처럼 황송해하고 사죄하며 부끄러워하며 살아가야만 합니다.

저는 좀 더 빨리 죽어야만 했습니다. 그러나 단 하나, 엄마의 애정. 그걸 생각하면 죽을 수가 없었습니다. 인간은 자유롭게 태어날 권리를 지님과 동시에 언제든 멋대로 죽을 수 있는 권리도 가지지만, '어머니'가 살아 있는 동안에 죽을 권리는 보류되어야만 한다고 저는 생각합니다. 그와 동시에 '어머니'까지도 살해하게 될 테니까요.

이제는 제가 죽어도 몸이 성치 못할 만큼 슬퍼할 사람도 없고, 아뇨 누님, 저는 잘 압니다. 절 잃은 당신들이 얼마나 슬퍼할지, 아뇨 겉치레인 감상은 관두죠. 당신들은 제 죽음을 알고 분명 울기야 하겠지만 살아 있는 고통과 끔찍한 삶Vie으로부터 완전히 해방되는 저의 기쁨을 생각해본다면 당신들의 슬픔은 점차 사라져 갈 것으로 추측합니다.

자살을 비난하고 무슨 일이 있어도 살아남아야만 한다고,

제게 어떤 조력도 없이 입으로만 나불거리고 의기양양한 얼굴로 비난하는 사람은 폐하께 과일 가게를 여십사 아무렇지도 않게 권할 수 있을 정도의 엄청난 위인임이 분명하다고 봅니다.

누님.

저는 죽는 편이 낫습니다. 어차피 저는 생활 능력이 없습니다. 돈을 벌려고 남들과 싸울 힘이 없습니다. 남들을 등치는 일조차 제게 불가능합니다. 우에하라 씨와 놀아도 제 몫의 계산은 언제나 스스로 지불했습니다. 우에하라 씨는 그걸 귀족의 쪼잔한 프라이드라고 하며 아주 싫어했지만, 저는 프라이드를 위해 지불한 것이 아니라 우에하라 씨의 일로 획득한 돈으로 먹고 마시고, 여자를 안는 별 볼 일 없는 것들에 쓰는 것이 두려워서 차마 할 수 없었던 것입니다. 우에하라 씨의 일을 존경하고 있기 때문이라고 간단하게 단언하면 거짓말이 될 테고, 저도 사실은 확실하게 모릅니다. 그저 남의 신세를 지는 것이 어쩐지 두렵습니다. 특히 그 사람 자체의 실력 하나로 손에 넣은 돈을 가지고 얻어먹는 건 괴롭고 마음이 쓰려 견딜 수 없습니다.

우리 집에서 돈이나 물건을 들고나와 엄마나 누나를 슬프게 만드는 그런 것이 저 자신도 이제는 조금도 즐겁지 않고, 출판업 따위를 계획한 것도 그저 멋쩍음을 감추기 위한 모습이었고 사실은 조금도 진심이 아니었습니다. 마음을 다해도 남에게 밥 한 끼 얻어먹지 못하는 남자가 돈을 벌다니 가당치 않다는 건 아무리 제가 어리석다지만 그 정도는 압니다.

누님.

우리는 가난해졌습니다. 살아 있는 동안은 남에게 베풀고 싶다고 생각했는데 이젠 남에게 신세를 지지 않으면 살아갈 수 없게 되었습니다.

누님.

그런데 저는 어째서 살아가야만 합니까? 이제 안 되겠습니다. 저는 죽습니다. 편하게 죽을 수 있는 약이 있습니다. 군대에 있을 때 입수해두었습니다.

누님은 아름답고(저는 아름다운 어머니와 누님이 자랑스럽습니다.) 현명하니 누님에 대해서는 아무 걱정도 하지 않습니다. 걱정할 자격조차 없습니다. 도둑이 피해자의 신변을 헤아리려고 하는 것 같아서 부끄러울 따름입니다. 분명 누님은 결혼하시어 아이를 낳고 남편을 의지하며 살아갈 것이라고 저는 생각합니다.

누님.

제게 한 가지 비밀이 있습니다.

오랫동안 감추고 또 감추며 전쟁터에 있어도 그 사람을 골똘히 생각하고 그 사람의 꿈을 꾸며 눈을 뜨고 훌쩍거리며 울었던 적도 몇 번인가 있었을지도 모릅니다.

그 사람의 이름은 절대로 그 누구에게도, 입이 삐뚤어진대도 말할 수 없습니다. 저는 지금 죽을 테니까 하다못해 누님한테라도 분명하게 말해둘까 생각했지만 역시 너무나도 두려워서 그 이름을 입에 담을 수가 없습니다.

그러나 이 비밀을 절대적 비밀인 상태로, 세상에서 누구에게도 밝히지 않고 가슴속에 간직하고 죽는다면 제 육체가 화장되어도 가슴 뒤편만이 비릿하게 타다 남을 것 같은 기분이 들어 불안해 견딜 수가 없기에, 누님에게만 에둘러 픽션처럼 알려둡니다. 픽션이라고 해도 분명 누님은 곧바로 그 상대가 누군지 아실 것입니다. 픽션이라기보다는 그저 가명을 사용한 정도의 눈속임이니까요.

누님은 알고 계십니까?

누님은 그 사람을 알고 있겠지만 아마도 만난 적은 없겠죠. 그 사람은 누님보다도 나이가 조금 많습니다. 외까풀에 눈꼬리가 치켜 올라가고 머리카락을 파마한 적이 없으며 언제나 강하게 뒤로 모아 올린 머리 모양을 하고 있다고 할까요. 그런 수수한 머리 모양을 하고 거기다 빈곤해 보이는 복장이지만 칠칠치 못한 모습이 아니라 항상 제대로 옷매무새를 정리하고 청결합니다. 그 사람은 전쟁이 끝난 후 새로운 터치법으로 그린 그림을 잇달아 발표하여 갑작스레 유명해진 어느 중년 서양화가의 부인인데, 그 화가의 행실은 상당히 난폭하고 무절제하기에 부인은 태연함을 가장하고 언제나 상냥하게 미소 지으며 살고 있습니다.

저는 일어나서,

"그러면 실례하겠습니다."

하고 말하는데 그 사람도 일어나서 아무런 경계 없이 제 곁으로 따라와 얼굴을 올려다보며,

"왜요?"

라고 평범한 목소리로 말하며, 정말로 이유를 모르겠다는 듯이 조금 고개를 갸웃거리며 얼마간 제 눈을 바라보았습니다. 그 사람의 눈에는 사특한 마음이나 걸치레가 없었는데, 저는 그녀와 시선이 마주치면 허둥거리며 시선을 돌리고 마는 성격이었지만, 그때만은 눈곱만큼도 함수含羞[59]를 느끼지 않으며 우리의 얼굴이 한 뼘 정도의 거리를 두고 일 분인가 그 이상의 시간 동안 너무나도 기분 좋게 눈동자를 바라보았고, 그 후에 저도 모르게 미소를 지으며,

---

59) 부끄러운 기색.

"하지만……."

"금방 돌아올 테니까요."

라고 역시나 진지한 얼굴로 말합니다.

정직이란 이런 느낌의 표정을 말하는 건 아닐까 문득 생각했습니다. 그건 도덕 교과서에 실린 엄중한 덕을 말하는 게 아니라, 정직이라고 하는 말로 표현되었던 본연의 덕은 이런 귀여운 것은 아니었을까 하고 생각한 것입니다.

"또 오겠습니다."

"그래요."

처음부터 끝까지 모든 게 아무것도 아닌 대화입니다. 제가 어느 여름날 오후에 화가의 아파트를 찾아갔고, 화가는 부재중이지만 곧 돌아올 테니까 들어와서 기다리겠느냐는 부인의 말에 따라 방으로 들어가 삼십 분 정도 잡지 따위를 읽었지만 돌아올 것 같지 않기에 일어나서 실례했습니다. 그뿐인 일이었지만 저는 그날 그때의, 그 사람의 눈동자에서 고통스런 연심을 느꼈습니다.

고귀하다고 하면 좋을까요. 제 주위의 귀족 중에서 엄마를 제외하고 경계심 없는 저런 '정직'한 눈의 표정이 가능한 사람은 한 명도 없었던 것만은 단언할 수 있습니다.

그러고 나서 저는 어느 겨울 저녁 무렵 그 사람의 옆모습에

홀린 적이 있습니다. 이 역시 화가의 아파트에서 그를 상대하다가 고타츠炬燵[60]에 들어가 아침까지 술을 마시고 그와 함께 일본의 이른바 문화인들에 대해 이러쿵저러쿵 떠들어대며 요절복통했고, 이윽고 그는 쓰러져 커다랗게 코를 골며 잠들고 저도 누워서 끔벅거리며 졸고 있었더니 갑작스레 모포가 덮쳐왔습니다. 실눈을 뜨고 봤더니 도쿄의 겨울 저녁 하늘은 은빛으로 비쳤고, 부인은 아가씨를 안고 아파트 창가에 아무렇지도 않은 듯이 앉아 있었는데, 그녀의 정갈한 옆 모습이 머나먼 물빛 저녁 하늘을 배경으로 하여 르네상스 시절의 그림처럼 선명한 윤곽이 떠올랐습니다. 제게 살며시 모포를 덮어주었던 친절, 그것은 아무런 성적 매력도 없고 욕구도 없었으며, 아아 휴머니티라는 말은 이런 때야말로 사용되어 소생하는 말이 아닐까. 응당하고 적막한 타인의 배려로서 거의 무의식으로 행해진 것처럼, 그림과 똑 닮은 고요한 기운을 두르고 머나먼 곳을 바라보고 계셨습니다.

저는 눈을 감고 사랑스럽다고 하는 미치듯이 연모하는 기분이 들어 눈꺼풀 뒤에서 눈물이 쏟아져 나와 모포를 머리부터 뒤집어썼습니다.

---

60) 일본의 난방기구. 바닥이나 다다미방 등에 설치한 틀 안에 열원을 넣고 이불 등으로 덮어 국소적인 공간을 따뜻하게 하는 방식이다.

누님.

제가 그 화가의 자택에 놀러 간 건, 그것은 처음에는 그의 작품 특유의 독특한 터치와 그 안에 숨겨진 열광적인 열정에 도취하였기 때문이지만, 교제가 깊어짐에 따라 그 사람의 무교양, 엉터리 솜씨, 촌스러움에 흥이 깨졌고 그와 반비례로 부인의 마음과 심성에 대한 아름다움에 이끌려, 아뇨, 올바른 애정을 가진 사람이 사랑스러웠고 경애하게 되어 부인의 모습을 한번 보고 싶어서 그 집에 놀러 가게 되었습니다.

화가의 작품에 다소라도 예술적이며 고귀한 향기라고 할 것이 드러나 있었다면 그것은 부인의 상냥한 마음이 반영된 것은 아닐까 저는 추측합니다.

저는 지금에야말로 느꼈던 대로 확실하게 표현하겠지만, 그 화가는 그저 술꾼에 노는 걸 좋아하는 처세가 좋은 상인입니다. 유흥에 쓸 돈이 필요해서 그저 엉터리로 캔버스에 색을 칠하고 유행이란 위세를 업고 젠체하며 비싸게 팔고 있습니다. 그 사람이 가진 것은 시골 사람의 뻔뻔함, 바보 같은 자신감, 교활한 장사 재능, 그것뿐입니다.

아마도 그 사람은, 다른 이들의 그림은 외국인의 그림이든 일본인의 그림이든 그 가치를 아무것도 모르겠죠. 더불어 본인 스스로가 그리고 있는 그림에 대해서도 전혀 모를 것입니다. 그저 유흥을 위한 돈이 필요해서 정신없이 물감을 캔버스에 바르고 있을 뿐입니다.

그리고 더욱 놀랄만한 건 그 사람은 자신의 엉터리 솜씨에 의심과 수치심, 공포 따위를 가지고 있지 않다는 사실입니다.

그저 숙련되어 있습니다. 아무튼 본인이 그린 그림의 가치 자체를 모를 정도의 사람이니 타인의 것의 좋은 점을 알 턱이 없고, 아뇨 그를 넘어 헐뜯고 폄하합니다.

다시 말해 그 사람의 퇴폐적 생활은 입으로는 이렇다저렇다 괴로운 듯이 말하고 있지만 그 본질은 바보 같은 시골 사람이 전부터 동경하던 도시에 나와 그 자신도 예상치 못할 만큼 성공했기에 기고만장하여 놀아 젖히고 있을 뿐입니다.

언젠가 제가,

"친구가 모두 나태하게 놀고 있을 때, 저 혼자만 공부하는 건 멋쩍고 두렵고 절대 안 될 일이니 놀고 싶지 않아도 나도 무리에 들어가서 논다."

라고 말했더니 그 중년 화가는,

"호오? 그게 귀족 기질이라는 건가, 음흉하구먼. 난 남이 놀고 있는 걸 보면 자신도 놀지 않으면 손해라고 생각하여 성대하게 놀고 있지."

라고 대답하며 태연했지만, 저는 그때 그를 강하게 경멸했습니다. 그의 방탕함에는 고뇌가 없다. 도리어 바보짓을 자만하고 있다. 뼛속까지 멍청한 방탕아.

그러나 그의 험담을 이 이상 여러 방면으로 서술해도 누님에겐 관계없는 일일 테고, 저도 지금 죽음을 당면하여 그 사람과의 오랜 교제를 떠올리며 그리운 마음에 다시 한번 만나 놀고 싶은 충동이야 느끼고 있지만 증오스러운 마음은 전혀 없으며, 그 사람도 외로움을 타고 굉장히 좋은 부분을 많이 가지고 있는 사람이니 더는 아무 말도 하지 않겠습니다.

그저 저는 누님이 제가 그 사람의 부인을 동경하고 주변을 기웃거리면서 괴로웠다는 사실만 알아주셨으면 합니다. 따라서 누님은 그걸 알아도 특별히 다른 사람에게 그 일에 대해 호소하면서 동생이 생전에 가진 마음을 성취하게 해주겠다는 그런 거슬리는 오지랖을 부릴 필요는 전혀 없고, 누님 혼자만 알고 그랬다는 것을 잠시 생각해 주신다면 그걸로 충분합니다. 더불어 제 바람을 말하자면 이런 저의 수치스러운 고백을 고려하여 누님만이라도 지금까지의 제 생의 고통을 한층 더 깊게 알아봐 주신다면 저는 너무나도 기쁠 것입니다.

저는 언제였는지 부인과 손을 마주 잡는 꿈을 꾼 적이 있습니다. 그리고 부인도 아주 예전부터 절 좋아한다는 사실을 알게 되고, 꿈에서 깨어나서도 제 손바닥에 손가락의 온기가 남아 있었는데, 이것으로 이제 만족하고 포기할 수밖에 없다고 생각했습니다. 도덕이 두려웠기 때문이 아니라 저는 반미치광이의, 아뇨 거의 미치광이라고 해도 좋을 그 화가가 두려웠던 것입니다. 포기하겠다고 생각하고서 가슴 속 불꽃을 다른 방향으로 돌려보려고 닥치는 대로, 그 화가조차도 어느 날 밤 얼굴을 찌푸렸을 정도로 심하게 엉망진창으로 여러 여성과 광란의 밤을 보냈습니다. 어떻게 해서든 부인의 환영에서 벗어나 모두 잊어버리고 싶었습니다. 그렇지만 불가능. 저는 결국 한 명의 여성만 사랑할 수 있는 성격입니다. 분명하게 단언할 수 있습니다. 저는 부인 이외의 여자를 한 번도 아름답다거나 애처롭다고 느낀 적이 없습니다.

누님.

죽기 전에 마지막으로 한 번만 적겠습니다.

……스가 씨.

부인의 이름입니다.

제가 어제 좋아하지도 않는 댄서(이 여자에게는 본질적으로 바보 같은 부분이 있습니다.)를 동행하고 산장에 간 것은, 아무리 그래도 오늘 아침 죽으려고 찾아간 것이 아니었습니다. 언젠가, 가까운 미래에 반드시 죽을 마음이었지만 어제 여자를 데리고 산장에 간 것은 여자가 여행을 졸라댔고 저도 도쿄에서 노는 것에 지쳐서 이 바보 같은 여자와 두어 일 산장에서 쉬는 것도 나쁘지 않겠다고 생각하여, 누님에게는 조금 미안했지만 아무튼 함께 찾아갔더니 누님은 도쿄의 친구에게 갔고, 그때 문득 죽을 것이라면 지금이 적기라고 생각했던 것입니다.

저는 예전부터 니시카타초의 그 집 안방에서 죽고 싶다고 생각했었습니다. 길가나 공터에서 죽어 구경꾼들이 시체를 건드리게 하는 건 무슨 일이 있어도 싫었습니다. 그러나 니시카타초의 그 집은 남의 손에 넘어가고 지금은 이 산장에서 죽는 수밖에 없다고 생각하고 있었는데, 그래도 제 자살을 처음 발견하는 건 누님일 테고, 그때 누님은 얼마나 경악스럽고 두려울까 생각하면 누님과 둘만 있는 밤에 자살하는 건 마음이 무겁고 절대로 가능할 것 같지 않았습니다.

그랬던 것이 절묘한 찬스. 누님이 없고 그 대신 둔감하기 짝이 없는 댄서가 제 자살의 발견자가 되어 준다니.

어젯밤 둘이서 술을 마신 후 여자를 이 층 방에 재우고 저 혼자 엄마가 돌아가신 아랫방에 이불을 깔고서 이 비참한 수기를 적고 있습니다.

누님.

제겐 희망의 지반이 없습니다. 안녕히.

결국 제 죽음은 자연사입니다. 사람은 사상만으로는 죽을 수 있는 게 아니니까요.

그리고 한 가지, 상당히 겸연쩍은 부탁이 있습니다. 엄마의 유품인 삼베로 만든 기모노. 그것을 내년 여름에 입을 수 있게 누님이 고쳐주셨지요. 그 기모노를 제 관에 넣어주세요. 전, 입고 싶었습니다.

날이 밝아 옵니다. 오랫동안 애써주셨습니다.

안녕히 계세요.

어젯밤 마신 술의 취기는 완전히 가셨습니다. 저는 제정신으로 죽습니다.

다시 한번 안녕히.

누님.

저는 귀족입니다.

8

꿈.

다들 내게서 멀어져 간다.

나오지의 죽음을 정리하고 나서 한 달 동안 나는 겨울 산장에 홀로 살았다.

그리고 나는 그 사람에게 아마도 마지막이 될 편지를 물과 같은 기분으로 적어나갔다.

아무래도 당신마저 절 버린 모양입니다. 아뇨, 점차 잊어가시는 것 같습니다.

하지만 저는 행복합니다. 제가 원했던 아기가 생긴 것 같거든요. 저는 현재 모든 것을 잃은 기분이지만, 그래도 뱃속의 작은 생명이 제 고독한 미소의 씨앗이 되고 있습니다.

추접스러운 실책이라고는 아무래도 생각할 수 없습니다. 이 세상에 전쟁이니 평화니 무역이니 조합이니 정치 같은 게 있는 건 대체 무얼 위해서인 건지, 이제는 저도 알 것 같습니다. 당신은 모르시겠죠. 그러니 언제까지고 불행한 겁니다. 그건 말이죠, 알려드리죠. 여자가 좋은 아이를 갖기 위해서입니다.

애초에 저는 당신의 인격이나 책임에 기댈 마음은 없었습니다. 저의 한 줄기 모험 같은 연심의 성취만이 문제였습니다. 그리고 그런 제 마음이 완성되어 지금 제 가슴 속은 숲속 늪처럼 고요합니다.

저는 이겼다고 생각합니다.

마리아가 설사 남편의 아이가 아닌 아이를 가진대도 그녀에게 영광스러운 자긍심이 있다면 그것은 성모의 아이가 되는 것입니다.

저는 낡은 도덕을 태연히 무시하고, 좋은 아이를 얻었다고 하는 만족이 있습니다.

당신은 그 후에도 여전히 기로틴을 연호하며 신사와 아가씨들과 함께 술을 마시며 퇴폐적인 생활인지 뭔지를 이어가고 계시겠죠. 그러나 저는 그것을 관두라고 말씀드리지는 않겠습니다. 그 또한 당신이 가진 최후의 전투 방식일 테니까요.

술을 끊고 병을 고치고 오래오래 살면서 훌륭한 일을 하라는 그런 천연덕스러운 임시변통 같은 건 더는 말하고 싶지 않습니다. '훌륭한 일'보다도 목숨을 버릴 각오로 악덕한 생활을 관철하는 편이 반대로 후세의 사람들로부터 감사를 받게 될지도 모릅니다.

희생자. 과도기 도덕의 희생자. 당신도 저도 분명 그럴 테지요.

혁명은 대체 어디에서 이루어지는 것일까요. 적어도 우리 주변에서 낡은 도덕은 여전히 그대로고 눈곱만큼도 변함없이 우리가 가야 할 길을 가로막고 있습니다. 바다 표면의 파도는 항상 철썩거리고 있어도 안쪽 해수는 혁명은커녕 옴짝달싹도 하지 않고 잠든 척 대자로 뻗어 있는걸요.

그러나 저는 이제까지의 첫 번째 전투에서 낡은 도덕을 조금이나마 물리쳤다고 생각합니다. 그리고 다음에는 앞으로 태어날 아이와 함께 두 번째, 세 번째 전투태세를 갖출 생각입니다.

사랑스러운 사람의 아이를 낳고 기르는 일이 제 도덕 혁명의 완성인 것입니다.

당신이 절 잊는대도, 술 때문에 목숨을 잃는대도, 저는 제 혁명의 완성을 위하여 건강하게 살아갈 수 있을 것 같습니다.

당신의 하찮은 인격에 대해 최근에도 어떤 분으로부터 여러 가지 이야기를 들었지만, 그래도 제게 그런 강함을 주신 건 당신입니다. 제 가슴에 혁명의 무지개를 뜨게 해주신 건 당신입니다. 살아갈 목표를 주신 건 당신입니다.

저는 당신을 자랑스럽게 여기고 있고 태어날 아이에게도 당신을 자랑으로 생각하도록 하고 싶습니다.

사생아와 그 어미.

그러나 우리는 낡은 도덕과 끝없이 싸워나가며 태양과도 같이 살아갈 참입니다.

부디 당신도 당신의 투쟁을 지속해 주십시오.

지금도 혁명은 멀고 먼 것 같습니다. 좀 더, 좀 더, 안타깝고 고결한 몇몇 희생이 필요해 보입니다.

지금 세상에서 가장 아름다운 것은 희생자입니다.

작은 희생자가 또 한 명 있습니다.

우에하라 씨.

더는 당신에게 부탁할 마음이 없지만, 그래도 그 작은 희생자를 위하여 하나만 양해를 부탁하고 싶은 것이 있습니다.

그것은 제게서 태어날 아이를 단 한 번이라도 좋으니 당신 부인이 안아 보게 해드리는 일입니다. 그리고 그때 제게 이렇게 말하게 해주세요.

"이건 나오지가 어느 여성에게 비밀로 하고 태어난 아이예요."

어째서 그렇게 하는가, 그것만은 누구에게도 말할 수 없습니다. 아뇨, 저 자신조차 어째서 그렇게 하고 싶은 건지 잘 모르겠습니다. 그러나 저는 어떻게 해서든 그렇게 해야만 합니다. 나오지라고 하는 작은 희생자를 위하여, 어떻게 해서든 그렇게 해야만 합니다.

불쾌하신가요. 불쾌하셔도 참아주세요. 이것이 버려지고 잊혀간 여자의 유일하고 초라한 복수라고 생각하시어 부디 승낙해주실 것을 부탁드립니다.

M.C 마이 코미디언.

1947년 2월 7일.

사양

발 행 | 2024년 7월 29일
저 자 | 다자이 오사무(이은 역)
펴낸이 | 한건희
펴낸곳 | 주식회사 부크크
출판사등록 | 2014.07.15.(제2014-16호)
주 소 | 서울 금천구 가산디지털1로 119, SK트윈타워 A동 305호
전 화 | 1670 - 8316
이메일 | info@bookk.co.kr

ISBN | 979-11-410-9796-7

www.bookk.co.kr